MARIE DE HENNEZEL

Psychologue clinicienne, Marie de Hennezel a travaillé dix ans en soins palliatifs puis elle a été chargée de mission au ministère de la Santé sur les questions de la fin de vie.

Actuellement, elle anime des séminaires pour les seniors dans le prolongement de ce livre sur l'art de bien vieillir. Elle est l'auteur de *La mort intime*, préfacée par François Mitterrand, qui a rencontré un succès retentissant. Elle publiera ensuite *L'art de mourir*, ouvrage écrit en collaboration avec Jean-Yves Leloup, *Nous ne nous sommes pas dit au revoir*, *Le souci de l'autre*, et *Mourir les yeux ouverts*. Son dernier ouvrage, *Une vie pour se mettre au monde*, a été écrit en collaboration avec le philosophe Bertrand Vergerly.

Retrouvez l'actualité de l'auteur sur son site :
www.versilioslog.com/mariedehennezel

L'ART DE MOURIR

MARIE DE HENNEZEL
JEAN-YVES LELOUP

L'ART DE MOURIR

Traditions religieuses et spiritualité humaniste
face à la mort aujourd'hui

ROBERT LAFFONT

Le papier de cet ouvrage est composé de fibres naturelles, renouvelables, recyclables et fabriquées à partir de bois provenant de forêts plantées et cultivées durablement pour la fabrication du papier.

© Éditions Robert Laffont, S.A., Paris, 1997
ISBN : 978-2-266-08609-7

*Merci à Marie de Solemne
pour sa collaboration à cet ouvrage.*

Introduction

L'expression l'« art de mourir » a-t-elle encore un sens aujourd'hui, dans notre monde matérialiste, obsédé par le progrès technique et terrifié par la mort ?

La plupart de nos contemporains, en Occident, refusent l'idée même de la mort, et à plus forte raison celle qu'on puisse vivre avec elle et l'approcher le jour venu consciemment et paisiblement. Se réveiller le matin en se souvenant que l'on est mortel, comme on le fait dans certains monastères, paraît d'un autre temps. De même, la sagesse des bouddhistes, qui acceptent la mort comme faisant partie de la vie, semble exotique. Celle de ces Indiens d'Amérique ne l'est pas moins, qui portent leur mort sur l'épaule gauche, tel un oiseau invisible, conscients d'être seulement de passage sur cette terre. Pourtant, de l'avis de tous, ces « sagesses » non seulement aident à vivre, mais donnent à la vie son poids de sens et sa valeur.

L'accueil fait par un large public à la publication de *La Mort intime* semble témoigner d'une levée du

11

tabou pesant sur la mort. Dans un courrier important, les lecteurs ont confié à longueur de pages leur souffrance d'avoir été si longtemps victimes du silence sur la mort, d'être passés à côté de l'accompagnement d'un proche, de n'avoir pas pu ou su faire face à leur propre angoisse, et d'avoir ainsi manqué l'occasion d'entrer dans l'espace intime des derniers instants.

Que de culpabilité et de regrets exprimés dans ces pages émouvantes ! Que de colère aussi contre ceux qui volent la mort, qui la cachent comme si elle était honteuse, contre les mensonges, les faux-fuyants, le manque d'humanité ! Quelle attente d'une autre manière de faire face aux moments ultimes ! On mesure là combien le déni de la mort engendre d'angoisses. On sent combien il devient urgent d'en parler, de trouver les mots pour apprivoiser cette réalité incontournable, de créer des lieux et des solidarités pour aider tout un chacun à faire face à sa propre mort ou à celle d'un proche.

Le mouvement qui consiste à réintroduire la mort dans notre champ de conscience et de pensée, à l'humaniser dans nos institutions, est déjà en route depuis plus d'une dizaine d'années. Il se développe grâce aux associations, grâce à quelques soignants qui ont décidé d'affronter la mort plutôt que de la fuir. Plusieurs congrès, des ouvrages ont contribué à le faire connaître du grand public. D'autres tabous tombent, notamment concernant l'utilisation de la morphine par voie orale dans le traitement des douleurs terminales. La notion d'accompagnement commence à se répandre. Des personnes de plus en plus nombreuses cherchent à se former. Il ne s'agit pas seulement de professionnels, mais de personnes qui ont réalisé qu'accompagner un être proche qui va mourir est une tâche qui concerne tout le monde, une affaire de solidarité humaine avant tout.

Il est vrai que dans cette évolution de notre société face à la mort le monde des soignants est aux premières loges. C'est à l'hôpital que nous confions nos mourants. Sept personnes sur dix meurent aujourd'hui dans cette institution. Celle-ci n'est pas pour autant préparée à accueillir ni à accompagner ceux qu'elle ne peut plus guérir. Mais c'est pourtant là, en son sein même, que se forgent aujourd'hui les remises en question. C'est là que s'exprime le désarroi des soignants devant la souffrance de leurs patients et celle de leurs familles. Là que s'élève leur juste exigence d'être formés et soutenus dans cette tâche éminemment lourde qui leur est désormais dévolue.

Car les soignants sont avant tout des personnes. Ils souffrent comme tout le monde de cette mise à l'écart des questions relatives à la mort. Ils ont grandi dans une société où l'on ne parle plus d'elle. Comme nous tous, ils paient d'une absence de sens cette coupure d'avec les grandes traditions qui nous préparaient à la mort et nous aidaient à déchiffrer le sens de nos existences. Laïcité oblige, la plupart des lieux publics au service de l'humain, l'école, l'hôpital entre autres, sont des lieux où les questions essentielles, les questions relatives à la mort et au sens de la vie, ne sont presque jamais abordées.

Cet appauvrissement du sens et de la réflexion sur le sacré a peu à peu gagné les familles autrefois très attachées aux traditions. En côtoyant les proches venus accompagner un des leurs mourant, nous avons

13

mesuré ces dernières années combien les questions spirituelles étaient peu débattues au sein des familles. Une enquête auprès des soignants a révélé la même carence. Les familles où l'on peut aujourd'hui parler ouvertement, librement de ces questions ne semblent pas être très nombreuses. Et, quand bien même aurait-on grandi dans l'une d'entre elles, ces questions éminemment privées, intimes, ne peuvent être débattues sur le lieu de travail, car la loi du silence y domine.

La plupart des institutions sont des lieux où s'exerce une compétence technique, un « savoir-faire » de plus en plus exigeant et performant, mais où les questions propres au sens, les questions qui relèvent de la subjectivité des soignants et de leurs malades, n'ont généralement pas leur place. D'où le sentiment si répandu chez les malades d'être réduits à un « corps objet », livrés aux mains de la médecine, et de n'être pas reconnus comme « personnes », avec une mémoire, une histoire, des sentiments, des peurs, une pensée qui s'interroge.

Le mouvement des soins palliatifs a eu le mérite de rappeler que le malade est une personne, et le mourant un vivant. Sa souffrance est globale, c'est-à-dire qu'elle intègre des aspects physiques, psychoaffectifs et spirituels [1].

---

1. Voir la circulaire ministérielle du 26 août 1986 : « Les soins d'accompagnement comprennent un ensemble de techniques de prévention et de lutte contre la douleur, de prise en charge psychologique du malade et de sa famille, de prise en considération de leurs problèmes individuels, sociaux et spirituels. »

Les équipes de soins palliatifs tentent de prendre en compte l'ensemble de ces données. Il s'agit de soulager les souffrances d'une personne en fin de vie, d'être à l'écoute de ses besoins, de respecter le temps qui lui reste à vivre, sans l'écourter ni le rallonger. On a introduit le concept de « qualité de vie » pour répondre à la demande de sens formulée par les soignants : que faire quand il n'y a plus rien à faire ? Soulager la douleur, apporter des soins de confort, faciliter la venue des familles, les soutenir dans leur tâche d'accompagnement. Sur ces points, les soins palliatifs ont beaucoup contribué à l'évolution des attitudes face à la mort.

Mais il reste une dimension de cette souffrance globale qui n'est pas suffisamment prise en compte ni accompagnée par les soignants, et souvent par les familles. Il s'agit de la souffrance spirituelle, cette souffrance intime née de l'absence de sens.

Bien que l'on soit de plus en plus conscient de l'importance de cette dimension spirituelle dans le soin et l'accompagnement de ceux qui vont mourir, il faut bien reconnaître que les lieux où l'accompagnement spirituel fait partie du soin global de la personne sont encore rares. Comme si la souffrance spirituelle n'avait pas de statut, pas de légitimité dans notre monde !

C'est bien l'absence de sens qui caractérise notre monde moderne face à la mort. Laïc, sécularisé, s'appuyant sur une éthique inspirée par la Déclaration des droits de l'homme, celui-ci s'est coupé de la sagesse des grandes traditions.

Refusant les dogmes et les arguments d'autorité [1], nos morales d'aujourd'hui se sont également privées d'une réflexion et d'une méditation sur la question du sens et du sacré. Elles ont peu à peu évacué les questions essentielles, celles qui se posent à chacun face à la mort.

Peut-on pour autant en faire l'économie ? En a-t-on fini avec toute forme de spiritualité et de transcendance ? Ne faut-il pas approfondir cette contradiction apparente : accepter de ne pas comprendre le pourquoi de la mort, mais vivre pleinement « le mystère d'exister et de mourir [2] » ?

Le monde qui nous entoure ne nous apprend pas à mourir. Tout est fait pour cacher la mort, pour nous inciter à vivre sans y penser, sur le mode du projet, tendus vers des objectifs à atteindre, soutenus par des valeurs d'effectivité. Il ne nous apprend pas davantage à vivre. Tout juste à réussir dans la vie, ce qui n'est pas la même chose. Il s'agit de « faire » de plus en plus, d'« avoir » de plus en plus, dans une course effrénée vers un bonheur matériel dont nous finissons un jour ou l'autre par nous apercevoir qu'il ne suffit pas à donner un sens à nos existences. C'est ainsi qu'on recueille parfois de la bouche d'agonisants révoltés, amers, cet ultime regret d'être passé à côté de l'essentiel. Il ne faut pas être particulièrement religieux pour sentir que nous ne sommes pas sur terre pour passer notre vie à produire et à consommer.

---

1. Voir l'ouvrage de Luc Ferry, *L'Homme-Dieu ou le sens de la vie*, Grasset, 1996.
2. Cette expression est empruntée à François Mitterrand dans sa préface à *La Mort intime*.

Dans une de ses conférences sur l'expérience de la mort, le père Maurice Zundel[1] posait la question en ces termes : *Qu'est-ce que nous faisons de notre vie ? Nous nous cherchons, nous nous fuyons, nous nous rencontrons par intermittence et n'arrivons jamais à boucler la boucle, à nous définir nous-mêmes, à savoir qui nous sommes... On n'a pas le temps, la vie passe si vite, on est occupé par les soucis matériels ou par les divertissements... et finalement la mort arrive, et c'est devant la mort que l'on prend conscience que la vie aurait pu être quelque chose d'immense, de prodigieux, de créateur. Mais c'est trop tard... et la vie ne prend tout son relief que dans l'immense regret d'une chose inaccomplie. C'est alors que la mort, justement parce que la vie a été inaccomplie, apparaît comme un gouffre.*

Où la question du sens trouve-t-elle aujourd'hui à s'exprimer ? Où trouve-t-elle sa réponse ?

Tout homme confronté à l'imminence de sa mort peut être amené à se poser des questions spirituelles (quel est le sens de ma vie ? y a-t-il une transcendance ? quel est le devenir de mon être ?). Quelle solitude quand on ne peut exprimer ces questions, les partager avec d'autres ! Sommes-nous prêts à les entendre ? Que dire, que faire face à l'absurdité du deuil, au chagrin, au désespoir ? Que répondre à ceux qui demandent pourquoi ? à ceux qui se demandent quel sens cela peut-il bien avoir de continuer à vivre grabataire, dépendant, le corps détérioré ?

Face à cette souffrance, nous nous avouons souvent démunis. Nous estimons généralement que cela dépasse les limites de notre compétence. Nous nous

1. Voir notamment, de Maurice Zundel, *À l'écoute du silence*, Tequi, 1979.

en remettons alors aux représentants des cultes religieux, à l'aumônier de l'hôpital sans nous demander si nous n'entretenons pas la confusion qui existe entre spiritualité et religion.

Ces deux termes sont souvent utilisés à tort comme des synonymes. Adhérer à une croyance religieuse peut être une façon de vivre sa spiritualité. Mais on peut aussi vivre sa spiritualité sans avoir de religion. Il convient donc de distinguer les deux notions. La *spiritualité* appartient à tout être en question devant le seul fait de son existence. Elle concerne sa relation aux valeurs qui le transcendent, quel que soit le nom qu'il leur donne. Les *religions* représentent les réponses que l'humanité a tenté de donner à ces questions, à travers un ensemble de pratiques et de croyances.

Si certaines personnes au seuil de la mort trouvent un grand soutien dans leur foi religieuse, si les prières et les sacrements les aident, nous en rencontrons beaucoup qui n'ont pas de religion, ou qui ont une relation difficile, pleine de colère ou de culpabilité, avec leur religion d'enfance. Ces personnes ont néanmoins une spiritualité, et il nous appartient de la découvrir, de les aider à l'exprimer, il nous appartient d'oser leur demander ce qui peut nourrir leur esprit et leur apporter la paix. D'ailleurs ce ne sont pas tant des réponses que cherche l'homme confronté à l'imminence de sa mort qu'une proximité humaine qui l'aide à s'ouvrir à ce qui le transcende, au mystère de son existence, à l'amour qui relie entre eux les humains. Le « besoin spirituel » de tout humain n'est-il pas de se sentir jusqu'au bout capable d'aimer et d'être aimé ? N'est-il pas d'éprouver au cœur de lui-même ce sens auquel il aspire ?

Peut-être n'avons-nous pas assez exploré le formidable potentiel spirituel de notre humanisme ? Peut-être n'avons-nous pas assez confiance dans nos capacités de solidarité, d'attention, de présence, de considération pour l'autre ? Savons-nous à quel point elles peuvent rallumer dans son cœur le sentiment de sa valeur et de sa dignité ?

Ainsi, accueillir, accompagner la dimension spirituelle de la souffrance d'une personne qui va mourir n'est pas une tâche « optionnelle » ou facultative, comme le rappelait Cecily Saunders, la pionnière des soins palliatifs en Grande-Bretagne. C'est une tâche fondamentale que toute personne peut et doit assumer, pour la simple raison que c'est une tâche humaine. On l'a compris, il ne s'agit pas d'endoctriner, ni de se référer à un dogme quelconque. Il s'agit d'amour et d'engagement. D'aller à la rencontre de l'autre, aussi profondément que possible, au cœur de ses valeurs et de ses préoccupations, pour lui permettre de trouver sa propre réponse intime.

Le présent ouvrage est une réflexion à deux voix, offerte à ceux qui veulent approfondir, aller plus loin dans leur propre pensée, face aux questions spirituelles soulevées par la mort. La première vient d'une psychologue de terrain qui interroge l'expérience quotidienne du soin donné à ceux qui vont mourir ; la seconde est celle d'un prêtre orthodoxe, docteur en psychologie et en philosophie qui interroge les grands textes spirituels de l'humanité et tente d'établir un pont entre eux et la modernité dans un esprit d'ouverture.

Depuis plusieurs années, nous coanimons un séminaire d'une semaine intitulé « Ars moriendi :

l'approche de la mort dans les traditions et dans la clinique contemporaine ». Avec une quarantaine de personnes, nous réfléchissons à la manière de mourir aujourd'hui. Comment peut-on préparer sa mort, la vivre en sujet dans un monde qui la dénie ? Nous interrogeons l'approche de la mort dans les grandes traditions qui ont marqué notre monde occidental, la tradition judéo-chrétienne et notamment le Moyen Âge, mais aussi depuis peu les traditions orientales (le bouddhisme et l'hindouisme) vers lesquelles de plus en plus d'Occidentaux se tournent. Nous essayons de voir comment l'apport de sagesse de ces traditions peut être intégré dans notre monde moderne, laïc, déspiritualisé.

Nous proposons dans ce livre une réflexion sur les présupposés anthropologiques de l'accompagnement, c'est-à-dire sur la vision de l'homme qui sous-tend la valeur qu'il accorde ou non à ce moment de la vie qu'est la mort. Connaître les grandes conceptions philosophiques, religieuses, mythiques permet de mieux sentir en soi l'impact et la résonance de ces visions traditionnelles. De quelle conception de la mort et du mourir nous sentons-nous proches par notre culture ? Quelles sont celles qui nous laissent indifférents ou qui nous insupportent ? Notre propre façon d'accompagner un proche, le jour venu, sera conditionnée, que nous le sachions ou non, par cela. Il est bon d'en avoir conscience, comme il est bon d'accepter que celui que l'on accompagne n'a pas nécessairement la même façon de voir les choses. La connaissance de soi ouvre ainsi à la tolérance. Cela nous semble être un préalable à toute démarche d'accompagnement. Comment, en effet, peut-on prétendre écouter la souffrance spirituelle d'un mourant si l'on n'a pas commencé par écouter la sienne ? Comment une équipe hospitalière peut-elle assumer cette dimension spirituelle de l'accompagnement si elle ne se donne pas les moyens de réfléchir à sa propre conception de la mort ?

Mais il faut au préalable lever un tabou tout aussi pesant que celui de la mort : le tabou de la spiritualité.

Dans une société laïque comme la nôtre, le spirituel n'est pas reconnu. Pire, il est suspect, parce que confondu avec le religieux.

Le déni de la mort, et la toute-puissance de la technique ont largement contribué à cet assèchement spirituel. À l'hôpital, on soigne avant tout des corps malades. Quelle attention est portée à la vie subjective des patients ? à leur affectivité ? à leur intériorité ? On fera taire l'angoisse et la souffrance psychique à coups d'anxiolytiques et d'antidépresseurs, sans même se demander si cette souffrance ne témoigne pas d'une coupure profonde d'avec ses racines et ses sources. Mais le questionnement spirituel est là, dans les profondeurs de tout humain, prêt à surgir à l'occasion des crises ou des deuils.

Les soignants que nous avons rencontrés ces dernières années nous ont dit combien ces questions les préoccupent. Ils nous ont dit leur désarroi et leur solitude, l'absence de repères pour situer leurs propres interrogations, les formuler et trouver sinon leurs propres réponses, du moins leur manière à eux de vivre avec ces questions. La difficulté d'en parler avec les collègues, la peur de ne pas être compris, d'être jugés, parfois même ridiculisés. Tout cela les empêche d'aborder, en équipe, dans le cadre institutionnel, les questions trop intimes.

Ainsi, le monde institutionnel n'aide pas les soignants à exprimer cette dimension pourtant fortement sollicitée de leur être. Ceux d'entre eux qui osent aborder ces questions sont souvent critiqués. Le fameux groupe de parole mis en place dans certains lieux hospitaliers pour le soutien des soignants, qui devrait être le lieu d'une expression libre des sentiments de chacun, ne voit presque jamais émerger une telle profondeur de préoccupations. Les soignants ont le sentiment que ce n'est pas l'espace pour en parler. Mais alors où en parler ? À qui ? Renvoyer les soignants vers les prêtres ou les églises, c'est encore une fois méconnaître que la spiritualité existe en dehors de toute religion, qu'elle est avant tout le propre de l'homme.

Ce que nous disent les soignants est vrai pour chacun d'entre nous. Peut-être parce que leur profession les met en contact permanent avec les souffrances humaines les plus profondes sont-ils au cœur de la crise spirituelle de cette fin de siècle. Ce sont eux aussi qui par leurs remises en question nous font évoluer.

Nous souhaitons interroger les traditions à partir de notre proximité avec la souffrance et la mort. Car nos valeurs ne s'enracinent plus dans les dogmes et les croyances. Elles s'enracinent dans l'expérience, et notamment dans celle de la solidarité, de la présence, de l'attention à l'autre, dans la découverte de l'enrichissement réciproque de toute rencontre. C'est là que le sens de nos existences et de nos actes trouve sa source.

1.

Tout homme est spirituel

– Quel est le sens profond du terme spiritualité qu'on emploie aujourd'hui souvent en le confondant ou en l'opposant à celui de religion et qu'on suspecte même lorsqu'il n'est pas lié à un contexte religieux ?

Jean-Yves Leloup – Le mot « religion » a deux étymologies possibles, tout d'abord celle de *religare* qui veut dire se relier, se lier, entrer en relation avec ce que l'on considère comme un absolu ou un essentiel. Cette étymologie est le sens habituel du mot « religion », qui par suite s'incarnera dans un certain nombre de rites, de pratiques, où cette relation prend forme. Il existe également une autre étymologie : *religere*, qui signifie « relire ». Relire un événement pour essayer d'en extraire, d'en découvrir la signification. Dans cet état d'esprit, une religion représente un effort élaboré par des hommes et des femmes pour donner du sens à leur souffrance, à leur mort et à leur existence.

La spiritualité, elle, est indépendante de l'expérience religieuse. Elle appartient à tout homme.

Elle est le propre de l'humain. Saint Jean ne nous dit-il pas : « Le Logos est la lumière qui éclaire tout homme venant en ce monde » ? Tout homme qui va vers la vérité de son être rencontre cette lumière.

— *Selon les cultures et les civilisations dans lesquelles on se trouve, le mot « spiritualité » a-t-il des sens différents ?*

J.-Y. L. — Dans la tradition grecque, « être spirituel » signifie être dégagé des éléments les plus lourds du composé humain. Le « spirituel » est cette dimension de l'être humain qu'on appelle « noétique », c'est-à-dire libre à l'égard des émotions, des pulsions, des passions.

La tradition sémitique introduit le terme de *Pneuma,* le Souffle. Saint Paul, par exemple, fait la différence entre le « psychique » et le « pneumatique ». Tout homme est habité par le Souffle, et traversé par le courant d'une vie intérieure. Mais on peut vivre à côté de son Souffle, comme on peut vivre à côté de soi-même. Est spirituel celui qui entre dans son Souffle, celui qui laisse la Vie s'incarner pleinement en lui. C'est pourquoi, dans cette interprétation du spirituel comme « Souffle », l'accompagnement consiste à permettre à quelqu'un d'être pleinement lui-même. Être spirituel, c'est être « inspiré » ou plus simplement « respiré » profondément.

– Ce qui n'implique pas, en effet, d'avoir une religion ?

J.-Y. L. – La spiritualité, c'est « faire un pas de plus ». Faire « un pas de plus » dans l'acceptation de ma fatigue, dans l'acceptation de mes limites, limites de mon intelligence, de mon incompréhension devant la souffrance. C'est la tradition des pèlerins de Compostelle : *ultrëia,* « plus outre », faire un pas de plus, avec ou sans appartenance religieuse.

Être spirituel, c'est simplement, là où l'on est, faire ce « pas de plus ». Accompagner, c'est alors aider l'autre à faire de même, au cœur de sa souffrance, au cœur même de ce qu'il est. Nous pouvons parfois avoir l'impression que certaines personnes sont très avancées dans la spiritualité, alors qu'en réalité elles n'ont pas fait un pas ! Elles ne font que répéter des attitudes, des prières ou des comportements appris. En revanche, il arrive que des personnes n'ayant reçu aucune culture religieuse soient capables, devant certaines souffrances, dans la proximité de la mort, de faire ce « pas de plus ».

Un accompagnateur spirituel, c'est donc quelqu'un qui peut accompagner cette remise « en marche » et favoriser cette ouverture, en évitant à l'autre de s'arrêter sur ses symptômes et de s'identifier à eux.

– Dans l'expérience quotidienne d'accompagnement des mourants, rencontre-t-on souvent des personnes ayant

une demande d'ordre spirituel bien qu'elles n'aient aucune religion ?

Marie de Hennezel – La « demande spirituelle » est rarement formulée comme telle, mais elle est quasiment toujours présente, puisqu'il s'agit de la demande d'être reconnu comme personne, avec tout son mystère et sa profondeur. Et cette demande ne s'adresse pas à des « spécialistes de la spiritualité », elle s'adresse à tout humain rencontré : « Toi, qui me soignes ou qui m'accompagnes, quel regard portes-tu sur moi ? Suis-je réduit à ce corps délabré, en voie de disparition ? Quelle valeur ou quel sens accordes-tu au temps qu'il me reste à vivre ? »

L'être humain qui pressent l'approche de sa mort est animé d'un désir d'aller au bout de lui-même, un désir d'accomplissement. Il cherche à se rapprocher de sa vérité la plus profonde, il désire son Être. Il s'agit bien là d'un désir spirituel. Et, s'il y a une demande chez celui qui va mourir, c'est une demande de reconnaissance de ce désir, de cette dimension par les autres. Ne pas être considéré comme un corps malade, mais comme une personne, avec son histoire, son axe intérieur intime, et surtout son mystère.

Donc, si ceux qui accompagnent un mourant s'adressent à lui avec considération, s'ils le respectent dans tout l'invisible de la personne, son intimité, son secret, son mystère, s'ils font confiance, contre toutes les apparences, à la force intérieure qui est à l'œuvre chez lui, on peut dire qu'ils intègrent la dimension spirituelle dans leur accompagnement.

Au fond, accueillir la dimension spirituelle de l'autre, ce serait faire confiance au devenir de l'autre. Même au cœur de ce combat qu'est l'agonie. Se dire qu'à travers ce combat se fait un travail intérieur, une sorte d'accouchement pour une naissance à autre chose, œuvre de l'esprit au cœur même de cette personne. Dans ce sens, l'accompagnement spirituel serait d'être simplement présent, d'être à l'écoute et d'être confiant dans ce qui va jaillir.

Cela se résume ainsi : présence, écoute, confiance.

– *Ne sommes-nous pas là dans ce que l'on nomme de plus en plus « spiritualité laïque » ?*

J.-Y. L. – Oui, c'est exact, mais n'y a-t-il pas une confusion de langage ? Quand on parle de « spiritualité laïque », n'est-ce pas une façon de faire de la laïcité une religion ? Cette expression est employée par certains philosophes contemporains qui ne limitent pas leur approche de l'être humain à ce qu'ils voient, ni justement à ce qui meurt, à ce qui souffre. Ils reconnaissent qu'il y a dans l'homme quelque chose qui lui permet de souffrir autrement, d'aimer autrement, et peut-être de mourir autrement.

Comme le dit Marie de Hennezel, une attitude spirituelle est une attitude de confiance dans la profondeur de l'homme, ce qui dans l'homme dépasse l'homme ; ce qui dans l'homme demeure ouvert à un au-delà de l'homme.

– Pour éviter l'écueil de l'expression « spiritualité laïque », quels autres mots utiliser ?

M. d. H. – J'emploie l'expression d'« humanisme spirituel » car il y a une tradition humaniste qui peut justement être ouverte à cet au-delà de l'homme, à ce qui dépasse l'homme. Mais il est important de préciser que dans la rencontre avec le malade on ne « parle » pas de spiritualité. On essaie de la vivre, de la rayonner par sa manière d'être.

J.-Y. L. – Je ne parlerai même pas d'humanisme spirituel, je parlerai plutôt d'un « humanisme ouvert ». Ouvert à toutes les dimensions de l'humain, même à celles qu'il ignore. Quand on écoute la souffrance de l'autre, au-delà de sa demande on écoute aussi son désir, et au-delà de son désir on écoute en fait l'être qui désire en lui..., c'est-à-dire le Sujet.

On peut parler d'humanisme ouvert, notamment pour rappeler que dans certains contextes notre humanisme est fermé, parfois même enfermé, c'est-à-dire arrêté sur une conception de l'homme qui ne prend pas en considération ce que la personne ignore d'elle-même et que la souffrance et la mort vont lui révéler car c'est bien l'inconnu de nous-même que la mort nous révélera !

Parler d'accompagnement spirituel n'est pas demander à quelqu'un d'avoir telle ou telle attitude religieuse, pas plus que d'avoir une expérience transcendentale. C'est accompagner la personne avec ce respect et cette confiance qui lui feront comprendre qu'elle n'est pas réduite à son corps de souffrance, qu'il y a de l'« Espace » en elle, et que c'est « là » que nous la rejoignons.

Tel est notre présupposé : ce qui est vu de l'homme, ce que l'on en connaît, ce qui est pesé, mesuré, diagnostiqué... n'est pas tout.

Notre humanisme est un humanisme qui a un « manque », c'est-à-dire qui accepte de ne pas tout savoir de l'homme. Auprès de quelqu'un, ce qui demeure important n'est pas ce que l'on sait de lui (sa maladie, etc.) mais plutôt ce que l'on ne sait pas. Il est ce qui « déborde » notre savoir et notre perception. L'Autre, dans son altérité et son Visage, est ce Réel qui résiste à nos volontés d'appropriation, sensibles et intellectuelles. Il est ce qui résiste à ma « poigne », à ma « prise » ou, en termes moins philosophiques, ce qui échappe à ma « maîtrise »[1].

_____

1. Cf. à ce sujet les œuvres du philosophe E. Lévinas.

2.

L'image que nous avons de la mort, héritage de notre culture

– Notre attitude devant la mort est conditionnée par un présupposé anthropologique la plupart du temps inconscient. Comment pourrait-on le définir ?

Jean-Yves Leloup – Avoir un présupposé anthropologique, c'est posséder une image de l'homme héritée d'une culture, d'une civilisation ou d'une religion, et croire que l'homme correspond à cette représentation. Ce sera d'ailleurs d'après cette représentation que l'on jugera quelqu'un sain ou malsain, qu'on dira si ce qu'il fait est bien ou mal. C'est encore d'après cette image que l'on donnera une certaine éducation à nos enfants.

Le présupposé est donc une attitude intérieure qui, avant toute analyse, avant toute réflexion, oriente notre pratique, notre façon d'aimer, d'accompagner. Que ce soit dans l'amour, dans la mort ou dans la souffrance, nous avons tous une certaine « image » de l'homme, acquise, intégrée, mais souvent non analysée. Dès lors, selon la culture dans laquelle on se trouve, la souffrance pourra être considérée très différemment, comme le seront également la mort, l'approche de la mort et la célébration de la mort. Un exemple : cette phrase qui dit « tant qu'il y a de la vie, il y a de l'espoir » n'a de sens que dans un contexte occidental. Dans un autre contexte (par exemple, dans le bouddhisme) on pourra dire « tant qu'il y a de la vie, il y a de l'illusion ». Les deux sont vrais, d'ailleurs. La question de l'acharnement thérapeutique sera perçue très différemment selon que l'on s'inscrit dans un contexte ou dans l'autre.

Ainsi, notre façon d'accompagner un mourant, de le soigner, est influencée par notre représentation de l'être humain, par notre conception de la vie et de la mort.

– Quelles sont les différentes visions de l'homme que l'on rencontre aujourd'hui ?

J.-Y. L. – Elles sont innombrables, mais nous pouvons en distinguer quatre, plus ou moins familières au monde contemporain.

Une première vision serait celle de l'« homme unidimensionnel » : l'homme n'est qu'un corps, une matière. Sa pensée n'est que le produit plus ou moins heureux de son cerveau, machine extrêmement complexe mais tout à fait réductible aux éléments qui la composent. L'homme n'est rien d'autre que cela, ce composé qui sera bientôt décomposé. Selon cette vision, bien sûr, il n'y a pas d'âme ! La psyché n'est qu'une illusion compensatrice devant la certitude de notre mortalité ! Il n'y a pas non plus d'esprit (*noûs* en grec). L'intelligence n'est que le jeu incertain et aléatoire de nos synapses ! Il n'y a évidemment pas d'Esprit (ou de Saint-Esprit).

Cette représentation de l'homme familière à certains contemporains appartient aussi à des traditions anciennes, comme celle des « atomistes » ou des « matérialistes » de l'Antiquité...

Une autre vision de l'homme est « bidimensionnelle ». Le point de départ est l'observation du corps comme animé. Cette animation, qu'on l'appelle « âme », « psyché », « information », est ce qui donne vie et forme à nos cellules et à nos atomes. Si cette « animation » ou cette « information » se retirent, il ne reste plus de corps à proprement parler, mais un « cadavre ». On parlera de « corps inanimé ». Certains remarqueront que cette « information » ou cette « âme » peuvent avoir une vie indépendante du corps qu'elle anime. On pourra s'appuyer sur un certain nombre d'expériences contemporaines. Je pense aux NDE, aux expériences de mort imminente, qui témoignent d'une existence de l'âme « hors du corps », capable de rapporter certaines observations [1], alors que le milieu hospitalier vient de reconnaître le corps

---

1. Et parfois même des détails. Je pense à ce cas rapporté par Elizabeth Kübler-Ross d'un aveugle qui décrit la salle d'opération où il a été déclaré cliniquement mort.

comme cliniquement mort, avec encéphalo-gramme plat, etc.

Ces expériences sont souvent mises en relation avec des anthropologies anciennes qui distinguent bien l'âme et le corps (Platon, Descartes). Dans cette vision de l'homme, l'âme immortelle est la partie noble de la personne, le corps mortel est méprisé. Il est vu comme le tombeau de l'âme, alors qu'il en est le temple, le lieu de sa manifestation et de son incarnation.

Il y a une troisième vision, celle de l'homme « tri-dimensionnel ». L'homme est composé d'âme, de corps (soma-psyché) mais aussi d'esprit (*noûs* en grec, *mens* en latin). L'esprit est cette « fine pointe de l'âme », cette capacité silencieuse et contemplative qu'expérimentent un certain nombre de nos contemporains qui pratiquent la méditation et qui est familière aux grandes traditions. La tendance sera de nouveau de privilégier cette dimension contemplative de l'homme aux dépens de sa dimension affective (psychique) ou corporelle (somatique).

On prendra même l'expérience lumineuse du *noûs*, c'est-à-dire l'expérience d'un esprit vidé de tout concept et de toute représentation, pour la divinité ! Mais le miroir qui reflète le soleil n'est pas le soleil ! Pourtant d'une certaine façon il peut devenir lui aussi, par son éclat, source dérivée de lumière. L'esprit dans l'homme est cet espace, cette liberté qui accueille la lumière de l'Esprit (le

Pneuma). La confusion en français vient du fait que nous n'avons qu'un seul mot pour désigner l'esprit (de l'homme) et l'Esprit (de Dieu).

Enfin, une quatrième vision de l'homme est possible, qui ne nie aucun des éléments des anthropologies que je viens de citer, le corps, l'âme et l'esprit, mais les relie entre eux. Il s'agit du *Pneuma*, du Souffle, qui habite, inspire, éclaire le composé humain. Dans cette perspective, devenir « spirituel » (ou « pneumatique » comme disait saint Paul), ce n'est certes pas nier le corps, c'est lui donner accès à la transparence et à la transfiguration. Certaines personnes âgées dont le corps est décharné ont parfois cette qualité de transparence. On la retrouve aussi sur le visage de personnes qui viennent de mourir : comme si elles venaient d'être lavées, déridées, décrispées par le Souffle. Dans cette perspective, il ne s'agit pas non plus de nier nos dimensions affectives ou intellectuelles, mais de les ouvrir, et de les déconditionner, de cesser de les identifier à nos limites qui ne sont que trop évidemment sensibles. Cette dernière anthropologie que nous pourrions qualifier de « quaternelle » respecte l'homme dans son entièreté, corps, âme, esprit. Elle le respecte et l'accompagne aussi dans son « mystère », dans la présence du Souffle silencieux qui donne à l'Homme sa cohérence.

Les thérapeutes d'Alexandrie, à côté des besoins corporels, des demandes affectives, des *questes* de sens, prenaient en considération la dimension ontologique de l'homme. Ils parlaient à ce propos de « prendre soin de l'Être », ce qui peut sembler paradoxal. Mais n'est-ce pas à partir de ce qui est reconnu vivant et en bonne santé chez l'homme qu'une personne malade peut retrouver quelque chose de son intégrité et de sa dignité ? Son « être essentiel », alors que son « être existentiel » s'en va en ruine ?

– Quelles attitudes face à la mort ont été inspirées par ces différentes visions de l'homme ?

J.-Y. L. – Il y a d'abord une attitude qui nous est familière, en cette fin de siècle matérialiste. Elle s'enracine dans une tradition humaniste athée qui remonte à l'Antiquité (Épicure, Démocrite, Lucrèce) et qui a été reprise par les philosophes des Lumières. Dans ce contexte, la mort est la fin de la vie. C'est l'interruption d'un fonctionnement bio-psychique ou neuro-physiologique. Il n'y a rien d'autre que cette interrelation aléatoire de nos atomes, le jeu « sans règles » de nos synapses. Qu'on choisisse de ne pas y penser, comme Voltaire, ou qu'au contraire on la regarde en face, comme Heidegger, la mort reste un scandale. Elle est absurde, insensée. C'est cette attitude qui prédomine aujourd'hui en Occident. Elle est à l'origine tout à la fois des attitudes de déni, de fuite, d'acharnement thérapeutique injustifié, et des comportements en faveur du suicide assisté.

Face à cet humanisme athée, l'attitude spirituelle qui domine en Occident est bien évidemment inspirée des traditions monothéistes. Dans ces traditions, la vie, la souffrance, la maladie, la mort sont des lieux de passage, des temps d'épreuves que nous pouvons « interpréter », c'est-à-dire auxquels nous pouvons librement donner du sens. Dans la tradition judéo-chrétienne, la mort est considérée comme un passage. C'est d'ailleurs la signification du mot « pâque [1] ».

La mort est donc un passage vers un état de conscience autre. Le mot *anastasis* (*ana* veut dire en haut, et *stasis*, se poser) que l'on a traduit par *résurrection* signifie se poser dans la hauteur, dans la profondeur ; c'est se poser dans cette dimension que saint Jean appelle la « vie éternelle », c'est-à-dire dans ce lieu intime non conditionné par l'espace-temps.

Ce passage doit être accompagné d'infini respect et de confiance pour l'« autre ». Confiance dans le fait que, malgré la douleur et la souffrance parfois intolérables, il est capable de faire un « passage » au travers et non pas à côté d'elles. Ce qui m'a fasciné dans le christianisme, c'est que la souffrance n'est jamais évacuée, c'est-à-dire jamais considérée comme une illusion. Elle est une réalité accueillie avec le cœur, même si elle nous fait mal. Il faut alors accepter – même si le mot fait peur – que nous puissions être « contaminés » par la souffrance de

---

1. Le mot « pâque » vient de l'hébreu *pessah*, qui veut dire le passage, le saut au-delà. Cf. le « passage » de la mer Rouge.

l'autre. Dans la compassion on prend effectivement quelque chose de cette souffrance, mais sans être noyés dans cette douleur qui n'est pas la nôtre [1].

Cette compassion n'est possible que si celui qui accompagne est centré dans ce lieu de lui-même que certains appellent le « christ intérieur ».

Il y a enfin, plus loin de nous, mais de plus en plus en vogue, l'attitude commune aux traditions bouddhistes mais qu'on retrouve aussi dans la tradition hébraïque (le Qoelet). Dans ce contexte la souffrance et la mort sont plus ou moins considérées comme illusoires. Elles appartiennent à la condition d'un être relatif, qu'on appelle généralement le « moi » ou l'« ego ». Ce moi, ou cet ego, n'est qu'un paquet d'empreintes, de mémoires qui n'ont pas d'existence propre.

La mort n'est pas la fin de la vie, c'est la fin d'une illusion, une délivrance, la délivrance de la souffrance, de l'enchaînement des causes et des effets. C'est pourquoi la mort est un moment béni, le moment le plus sacré de l'existence, car c'est enfin l'occasion d'entrer dans un espace illimité. C'est le moment où la Réalité est enfin révélée.

Dans ce contexte, il ne s'agit pas de fuir la souffrance, il faut la regarder en face, non pour s'y complaire, mais pour aller à travers elle, au-delà d'elle. Cette attitude s'appuie sur les quatre nobles vérités prononcées par le Bouddha lors du Sermon de Bénarès. La première de ces nobles vérités,

1. « Nous sommes pressés de toutes parts mais non pas écrasés, ne sachant qu'espérer mais non désespérés », Paul, 2 Cor 4/8.

Dukka, nous rappelle que tout est impermanence. Tout ce qui est composé doit être décomposé. La sagesse n'est pas de se lamenter sur cette impermanence mais de l'accepter. La deuxième noble vérité, *Tanha,* montre quelle est la cause de nos souffrances, l'attachement. Le Bouddha nous invite à nous détacher, en quelque sorte à vivre avec nos blessures narcissiques. Dans la troisième noble vérité, *Nirvana,* il nous dit qu'au cœur du créé existe une réalité non créée, la *claire lumière* que tout homme verra au moment de sa mort. La quatrième noble vérité, le *Noble Sentier octuple,* nous invite à nous ajuster à ce qui est.

— Quelles vont être les conséquences pratiques d'une telle attitude dans l'accompagnement des mourants ?

Dans la tradition bouddhiste tibétaine, le grand texte de référence pour ceux qui accompagnent les mourants, c'est le *Bardo Thodol.* Il ne s'agit pas à proprement parler d'un livre des morts, mais d'un « livre de libération par l'écoute attentive de ce qui est entre deux », c'est l'étymologie même du mot tibétain *bardo.* Le *Bardo Thodol* est autant un art de vivre qu'un art de mourir, c'est avant tout un art de l'attention aux phénomènes manifestés dans ces mondes appelés à juste titre « intermédiaires » entre la conscience ordinaire, avec ses dualités, et la pure conscience sans dualités.

Le rôle de l'accompagnateur, le lama en l'occurrence, est de mettre la personne qui va mourir dans les conditions favorables pour qu'elle puisse s'ouvrir à ce que cette tradition appelle la « claire lumière ». Dans le *Bardo Thodol*, il y a cette belle parole du lama qui dit : « Écoute, noble fils. » (On respecte l'autre, on lui restitue son identité profonde.) « Voici le moment de mourir. Que ton esprit soit orienté vers l'espace sans limites, l'esprit vierge et sans tache qui est notre véritable nature. »

Le lama invite le mourant à ne pas s'enfermer dans ses regrets, ses rancunes, il l'invite à aller vers lui-même. On retrouve cela dans le « va vers toi-même » de Dieu à Abraham. Au moment de la mort, aimer, c'est aimer assez pour dire « va vers toi-même, tu ne m'appartiens pas, bénie soit la vie qui nous a permis de cheminer ensemble, ne t'arrête pas à la souffrance qui te submerge, va... ». On retrouve cette même idée dans les Béatitudes telles que les a traduites André Chouraqui : « En marche, vous qui pleurez. »

Le *Bardo Thodol* insiste sur la nécessité pour le lama de faire appel à ses qualités féminines comme à ses qualités masculines. Au moment de la mort, on a besoin de féminin, de maternel, de tendresse, de douceur, mais on a aussi besoin de masculin. On a besoin d'un père, d'une parole de connaissance qui nous éclaire, nous oriente. On a besoin d'un « tu peux ». C'est cela la véritable autorité, celle qui autorise, qui fait confiance. Il y a une fonction prophétique de l'accompagnateur, qui par sa parole peut ouvrir un chemin.

La mort est donc l'occasion d'un éveil. Vue ainsi, elle n'est pas un drame, c'est pourquoi on dira qu'il ne s'agit pas de pleurer, ni de retenir la personne, mais plutôt de l'inviter à découvrir cette pure lumière qu'elle est. En Inde on dira : « Ne t'identifie pas à ton Moi, à ton Moi mortel, mais souviens-toi que tu es habité par le Soi. Tu es Cela. » Tu es le fils de tes parents, tu es le fils de la société dans laquelle tu te trouves, mais tu es aussi le fils du Vent, du Souffle qui t'habite. Profite de cet expir pour expirer dans le Soi, pour laisser être le Soi. Les chants, l'accompagnement musical, les paroles qui sont dites ont pour objectif non seulement de soulager la souffrance, mais également de rappeler que bien que l'on aime cette terre nous ne sommes pas « que de cette terre ». Nous sommes aussi une polarité céleste, et ce moment où notre terre se dissout, se décompose, est peut-être le moment de nous ouvrir à l'étreinte du céleste en nous-même, qu'on l'appelle le Soi, le Tout-Autre, la Claire Lumière, ou une Autre Conscience...

– Parmi les différentes attitudes possibles devant la mort, qu'en est-il pour celle ou celui qui se trouvent sans aucune religion ?

J.-Y. L. – Certaines personnes hors religion, hors tradition, ont des qualités humaines qui valent bien celles qui relèvent d'une appartenance religieuse particulière, car l'approche de la mort reste malgré tout une approche humaine. C'est pourquoi il faut bien insister sur le fait que la fonction des religions

45

devrait être d'éveiller, de révéler ces qualités humaines profondes.

Ainsi la vraie question est-elle : « Sommes-nous des êtres humains, des êtres humains dans toute leur profondeur ? »

Il ne s'agit pas de donner aux personnes et au personnel accompagnant une formation religieuse ou spirituelle, mais tout simplement une formation humaine. Dans certains milieux hospitaliers on ne manque pas de spiritualité, on manque tout simplement d'humanité ! Il faut apprendre à ne pas nous considérer en relation avec une maladie, mais avec une personne qui a une maladie ; et plus profondément encore avec une personne qui a une âme. Et cela, que l'on y croie ou non... Nous devons seulement respecter cette dimension de l'être humain. À mon avis, certains accompagnements sont tronqués. Le drame de l'homme contemporain n'est pas la castration (le refoulement) de la sexualité, de la créativité ou de l'émotivité, mais celle de la dimension spirituelle de l'être humain. Encore une fois, que l'on appartienne ou non à une religion, la préparation à l'accompagnement des personnes en fin de vie devrait prendre en considération cette dimension de l'être humain. Non seulement nous ne devrions pas en avoir honte, mais nous devrions savoir qu'il y a là une efficacité d'un autre ordre, l'efficacité du cœur.

3.

Lever le tabou de la mort aujourd'hui

Le défi d'un humanisme spirituel

— Dans l'accompagnement des mourants, notamment par le personnel des unités de soins palliatifs, trouve-t-on, ou non, une imprégnation spirituelle particulière ? Comment cela se vit-il au quotidien ?

Marie de Hennezel – L'esprit, la démarche, des soins palliatifs s'inspire manifestement de la tradition judéo-chrétienne. D'ailleurs les précurseurs dans ce domaine, le Mouvement des hospices en Grande-Bretagne, étaient ouvertement chrétiens.

Si cette inspiration est là, présente dans les valeurs d'un grand nombre de soignants et de bénévoles qui accompagnent, elle ne s'impose pas pour autant. Je pense même que les soins palliatifs ont réussi à se fonder sur une éthique suffisamment ouverte pour que des personnes enracinées dans d'autres traditions (bouddhistes ou même agnostiques) y trouvent leur place. Quelles que soient leurs croyances religieuses ou philosophiques, les femmes et les hommes qui participent à ce mouvement des soins palliatifs sont au service d'une même éthique : il s'agit de respecter le mourant et la qualité du temps qui lui reste à vivre, et de lui offrir des soins et une écoute suffisamment ouverte et respectueuse pour qu'il entre vivant dans sa mort.

Il y a bien évidemment une certaine conception de l'homme et de la mort derrière cette éthique. On pourrait résumer les grands principes de cette approche humaniste ainsi.

La mort n'est pas un échec. Elle fait partie de la vie. Elle est un événement à vivre. Une « réalité vigoureuse », disait Teilhard de Chardin, une réalité qui nous réveille, nous oblige à prendre conscience de nos valeurs les plus profondes, une réalité qui nous invite à créer, à penser, à chercher un sens.

Le « temps du mourir » a une valeur. Il doit donc être respecté, car il a un sens, même si ce sens nous échappe. C'est le temps des derniers échanges de vie, le temps de boucler la boucle, le temps de se préparer à passer dans cette « autre vie », quelle que soit la représentation qu'on en ait, et même si cette autre vie demeure un mystère entier.

Accompagner ce temps exige de tous une acceptation devant l'inéluctable, l'inévitable, qu'est la mort. Cela implique de reconnaître ses limites humaines. Quel que soit l'amour que l'on porte à quelqu'un, on ne peut l'empêcher de mourir, si tel est son destin. On ne peut pas non plus empêcher une certaine souffrance affective et spirituelle qui fait partie du processus du mourir de chacun. On peut seulement empêcher que cette part de souffrance ne se vive dans la solitude et l'abandon, on peut l'entourer d'humanité.

Enfin, cette expérience de l'accompagnement est un enrichissement, car elle nous humanise. On apprend et on reçoit beaucoup de ceux qui meurent, de leurs familles, des soignants.

Des mourants, nous n'apprenons pas seulement à mieux comprendre comment la vie se termine, mais aussi comment l'être humain ordinaire se fraie un chemin vers sa propre mort, avec courage, avec humour, avec bon sens.

Des familles et des soignants, nous apprenons comment au cœur de l'épreuve et du deuil on devient plus humain. Des trésors de tendresse, de don de soi, se révèlent dans ces moments ultimes.

– Cette spiritualité de l'accompagnement, ancrée dans un humanisme ouvert, semble n'exister que dans certains lieux. À quoi attribuer le fait qu'elle ne soit pas plus répandue ?

M. d. H. – J'ai eu la chance de travailler pendant dix ans avec des femmes et des hommes qui avaient le don de la compassion et qui étaient de vrais humains. Mais les témoignages que j'ai reçus des malades concernant la façon dont ils avaient été traités ailleurs montrent combien cette humanité fait encore défaut. On sent bien que la première étape vers un humanisme spirituel serait d'être de vrais humains. C'est-à-dire d'approcher l'autre avec respect. Le respect de ce qu'il est au-delà même de ce que nous voyons.

Savoir l'accueillir, entrer dans sa chambre calmement, savoir s'asseoir ne serait-ce que cinq minutes pour laisser venir ce que l'autre a à dire, l'écouter, lui donner à boire, le soulever sur ses oreillers avec douceur, etc. Si souvent nous ne sommes pas présents dans nos gestes ! On a parfois l'impression, à cause d'un certain automatisme, qu'une machine s'occupe d'une autre machine. Quand on parle d'un malade en parlant du « cancer de la chambre 15 » ou du « sida de la chambre 12 », il y a une certaine dépersonnalisation. On a le sentiment que ce sont des corps malades, détraqués, que l'on cherche à réparer. Alors qu'il s'agit de « personnes » qui vivent douloureusement dans leur for intérieur cette réduction de leur personne à un « objet » ! La première chose à conquérir est bien notre propre humanité.

— Pourquoi cela semble-t-il si difficile d'être simplement humain ?

M. d. H. – Avons-nous été accueillis et traités avec humanité par nos parents et ceux qui nous ont éduqués ? Nous nous apercevons aujourd'hui que la plupart de nos contemporains ont été mal accueillis comme humains. Dès l'enfance, ils n'ont pas été respectés pour ce qu'ils étaient. Ils ont été obligés de s'adapter aux autres, à leurs désirs. Ils ont été obligés de se conformer à ce qui n'était pas eux. La plupart d'entre eux ne savent finalement pas ce qu'est être accueilli comme la personne que l'on est, être confirmé. C'est à Frans Veldman que l'on doit d'avoir attiré notre attention sur le manque de « confirmation affective » qui est une des plaies de notre monde [1]. Être confirmé dans son existence et dans son essence.

Si nous n'avons pas été accueillis ainsi, il est alors bien difficile d'accueillir les autres. Tout le travail personnel demandé aux soignants est de dépasser leur propre vécu, la manière dont ils ont été accueillis dans la vie, afin de découvrir une réelle faculté de contact, d'accueil et de sécurité dans les relations. Souvent on s'étonne que les aides-soignants ou certaines infirmières aient des difficultés à être doux, respectueux, mais ce sont souvent les mêmes qui ont beaucoup souffert et n'ont pas été approchés de manière adéquate. Dès lors il me semble qu'avant de « planer » dans les sphères spirituelles il faut d'abord vivre, et « se vivre », comme humain, se vivre comme humain dans la relation des uns avec les autres, ce qui peut s'expérimenter dans une équipe. Il est certain qu'à partir du moment où un groupe de personnes dont la fonction est d'accompagner des mourants apprend à s'écouter les uns les autres, apprend à

---

1. Frans Veldman, *L'Haptonomie,* science de l'affectivité, P.U.F., 1995.

faire de la place aux émotions des uns et des autres, c'est-à-dire où véritablement la dimension d'accueil est vécue dans une équipe, alors c'est tout un ensemble de gens qui apprennent à être des humains, et qui sont donc capables d'un humanisme spirituel. Tout commence là, dans cette façon d'être les uns avec les autres dans le quotidien du soin.

– Cette grande difficulté à être capable d'humanité face à une personne mourante a-t-elle toujours existé, ou bien est-ce un phénomène moderne ?

M. d. H. – Je pense que c'est un fait plus moderne, car nous sommes aujourd'hui dans un monde de l'effectivité et non de l'affectivité. Un monde qui valorise le « faire », la technique, tout ce qui est de l'ordre de l'efficacité, de la rentabilité, et cela au détriment de l'affectivité. Cette attitude ne concerne d'ailleurs pas seulement l'accompagnement des mourants. Regardez ce qui se passe au tout début de la vie, au moment de l'accouchement. Une femme accouchera avec un appareillage technique formidable, le souci étant d'éviter absolument toute complication. Les valeurs de contrôle, de maîtrise sont présentes dès le début d'une vie, et cet appareillage sera souvent mis en place au détriment de l'affectivité. Les lieux où sont véritablement respectés ces instants de la naissance, par exemple en baissant les lumières, en laissant un moment d'intimité entre le père, la mère et l'enfant, sont très rares. Seuls une minorité de gens accordent de l'importance à l'affectif dans un environnement où tout est fondé sur l'effectif.

— Cette mise à l'écart de l'affectif est-elle en relation directe avec les énormes progrès de la médecine ?
La qualité technique a-t-elle supplanté la qualité de cœur ?

M. d. H. – Il y a un formidable décalage entre les acquis techniques et scientifiques d'une part et le quotidien du soin d'autre part. Les hôpitaux bénéficient d'équipements et de programmes de recherche d'un haut niveau, mais le facteur humain n'a pas suivi cette évolution. L'hôpital n'est plus fidèle à ce qui fut sa fonction première : l'hospitalité. Il est vrai que cette fonction était autrefois tenue en grande partie par les congrégations religieuses. En sécularisant les soins, l'hôpital semble bien s'être déshumanisé. Nombreux sont les soignants qui en ont conscience et qui en souffrent. Formés à manipuler des appareils de plus en plus sophistiqués, ils se vivent souvent comme des machines à qui on demande de réparer d'autres machines. Comment s'étonner alors qu'ils se trouvent démunis devant la personne qui souffre ? Ils ne sont ni formés ni encadrés dans ce qui pourtant fait partie intégrante de leur fonction : prendre soin de l'être.

Voyez ce cri du cœur d'une jeune infirmière, qui lors de son premier stage à l'hôpital se voit affectée aux soins d'une femme de son âge mourant d'un cancer. « Je ne peux tout de même pas rester de marbre face à des gens qui souffrent ! » La voilà qui prend tout à coup conscience de la vraie dimension de son métier, qui est de côtoyer la souffrance et souvent la mort. Elle réalise qu'on ne l'y a pas préparée. On lui a appris bien des choses, à être une bonne technicienne, compétente et précise dans ses gestes, mais on ne lui a pas appris à faire face à l'angoisse de ceux qui sentent qu'ils vont mourir. On ne lui a pas appris comment faire avec ce profond sentiment d'impuissance et d'échec qu'elle éprouve. Tout juste l'a-t-on mise en garde contre les dangers de l'affectivité et de la sensibilité, contre l'épuisement émotionnel dès qu'on se laisse aller à vivre ses sentiments face à la souffrance du malade. On lui a conseillé la distance : ne jamais s'asseoir sur le lit d'un malade, ne jamais l'embrasser. Se contenter des gestes techniques.

Peut-on rester de marbre ? Est-ce honnête ? se demande-t-elle. Car après tout, si elle a choisi cette profession, c'est tout de même pour être près de ceux qui souffrent ! Elle mesure donc le dilemme devant lequel elle est placée et sa solitude. Faut-il vraiment faire un choix entre la compétence professionnelle et l'humanité ? Ne peut-on vivre les deux à la fois ?

L'ambition des soins palliatifs est justement de montrer que l'on peut allier la compétence technique à la qualité humaine. Il ne s'agit surtout pas de rejeter tout ce que la technique nous a apporté, mais d'y allier une véritable qualité humaine. C'est cela le défi des soins palliatifs et, de fait, le défi des années à venir.

– La difficulté d'allier compétence et qualité autour d'une personne mourante serait-elle due au tabou qui plane toujours autour de la mort ?

M. d. H. – Quand on parle du tabou de la mort, en fait, de quoi parle-t-on ? Elle est partout présente sur nos écrans de télévision. Tous les jours on nous parle de scènes de destruction et de violence. Mais c'est une mort lointaine, spectaculaire, les morts des autres, au Zaïre, en Bosnie, la mort dans les attentats. Sur cette mort-là, il n'y a pas de tabou. Le tabou touche à la mort intime, à celle qui touche ou touchera chacun d'entre nous un jour, au cœur de nos vies. La mort de nos proches, de nos amis, de nos collègues. Cette mort-là est occultée, cachée, dépouillée trop souvent de sa dimension humaine. C'est cette mort-là, intime parce qu'elle nous touche, nous blesse même au plus profond de nous-même, intime aussi parce qu'à sa porte nous éprouvons le besoin de nous ouvrir à ceux que nous aimons, afin de les rencontrer plus profondément encore, intime parce qu'elle nous rapproche de nos sentiments, c'est cette mort-là qui est taboue.

Le tabou de la mort, c'est un tabou de l'intime. Car si l'on commence à regarder la réalité de la mort, c'est vers les profondeurs de soi que le regard se porte. Et c'est cette intériorité que notre société fuit et masque tant qu'elle le peut. Le poète russe Chestov dit que « l'ange de la mort a les ailes constellées d'yeux ; quand il s'approche de l'un de nous, il lui donne des yeux nouveaux, des yeux venus de ses ailes, et qui voient au-delà du superficiel et de l'apparent ». C'est bien ce regard-là, intérieur, capable de voir au-delà des apparences que voile notre société extravertie. Ainsi une personne qui pressent l'approche de sa mort ressent-elle ce besoin d'intériorité, de communion intime avec les autres. Et les autres, ceux qu'on appelle à tort des proches, puisqu'ils savent si peu l'être, ne savent tout simplement plus comment communiquer. Combien de fois l'un ou l'autre est-il venu me parler, pleurer dans mes bras en déplorant cette paralysie affective : « C'est affreux, je ne sais plus quoi lui dire... »

Ils prennent douloureusement conscience du peu d'intimité qu'ils ont avec cette personne qui va mourir, même si elle est quelqu'un de très proche, un frère, un conjoint, un parent... Les mots qui permettraient une rencontre affective, les « je t'aime », les regards qui laissent passer l'émotion, sont comme gelés. Même la proximité physique semble difficile, et l'on voit des « proches » qui se tiennent à un mètre du lit, ou qui n'osent même pas entrer dans la chambre. On pense qu'ils sont terrorisés par la mort, mais non, justement ! Ce n'est pas la mort qui leur fait peur, c'est l'intime.

– Dans ce tabou de l'intime, deux éléments semblent très importants : celui qui concerne la parole – dire « je t'aime » – et celui qui concerne le contact – toucher l'autre. Lequel est le plus difficile à surmonter ?

M. d. H. – Je crois que les deux vont ensemble. Je crois que le geste appelle la parole, et inversement.

Jean-Yves Leloup – C'est la définition même du mot « sacrement » : un geste qu'une parole accompagne.

M. d. H. – Souvent, la personne mourante ressent un besoin urgent d'un tel contact, mais elle ne saura pas le demander. En fait elle le fera d'une manière que l'on ne saura pas toujours décrypter : en demandant qu'on la retourne dans son lit, qu'on la soulève, qu'on lui donne à boire. Derrière l'apparent besoin, il y a vraiment le désir d'un rapprochement intime avec quelqu'un qu'on aime. Malheureusement, les proches délèguent souvent ces tâches au personnel soignant, ne comprenant pas que c'est justement l'occasion de prendre dans leurs bras celle ou celui qui bientôt ne sera plus là, et de pouvoir ainsi lui communiquer, par ce geste et cette parole qui l'accompagne, toute l'affection qu'on lui porte.

– Afin de parvenir à surmonter ce tabou de l'intimité, n'est-ce pas toute une éducation qu'il faudrait reconsidérer ?

M. d. H. – Sans doute, et j'aimerais à ce propos insister sur l'enseignement que nous recevons des mourants eux-mêmes. Ce sont eux qui nous réapprennent ce qui compte dans la vie. Nombreux sont ceux qui disent s'être ouverts aux autres à la suite de l'accompagnement d'un des leurs jusqu'à la mort. « Ils nous rendent plus généreux et plus humains », disait Cecily Saunders, la pionnière des soins palliatifs, et c'est vrai.

J.-Y. L. – Dans le monde contemporain, la souffrance ou la mort sont devenues des affaires individuelles ; individuelles mais pas intimes. Nous sommes dans un présupposé anthropologique où la souffrance est devenue une affaire tellement individuelle qu'elle n'est plus reliée à la famille, à la société dans laquelle nous vivons. Il est donc important de distinguer les deux mots : individu et intime.

Dans certaines cultures, quand quelqu'un est malade, c'est toute la famille qui est malade ; il en était ainsi, jadis en Occident, dans les sociétés traditionnelles. C'est pourquoi nous avions tant de respect pour ceux qu'on appelait les fous : ils somatisaient les troubles qui étaient ceux de toute la société.

Malheureusement aujourd'hui chacun est très seul sur son lit d'hôpital. Il y a bien eu une évolution, une transformation, celle de l'individualisme.

M. d. H. – Une des souffrances révélées en fin de vie est justement cette souffrance de la solitude, où chacun est enfermé en lui-même. Il est souvent dit que la fin de la vie est l'occasion de rassembler le réseau familial autour de la personne mourante, et cela peut vraiment être l'occasion d'une sortie de la solitude. C'est pourquoi il est si important d'être attentif à faciliter l'échange et la communication entre le malade et sa famille. En fait on n'accompagne pas seulement une personne, on accompagne une personne *et* son environnement, sa famille, ses amis, parce qu'un tel événement transforme tout le monde, et pas seulement celle ou celui qui va mourir.

J.-Y. L. – Mais cela suppose évidemment que la famille ou les amis aient le droit d'entrer...

M. d. H. – Oui, il faut faire une place à la famille, une place géographique (qu'elle puisse venir à n'importe quelle heure, qu'elle ait des lieux d'accueil dans le service où se retrouver), mais il faut également lui offrir un espace psychologique (accueillir ses angoisses, ses questions). C'est donc véritablement l'entité malade-famille que l'on accompagne.

– Malheureusement, l'accueil proposé dans les unités de soins palliatifs est loin d'être retrouvé dans la plupart des services hospitaliers, où meurt tout de même la majorité des gens. Comment peut-on remédier à un tel décalage ?

M. d. H. – Le problème de l'hôpital est que l'on ne donne pas leur place aux familles. Dans la plupart des cas, les règles hospitalières ne leur permettent pas cette présence tellement nécessaire à l'accompagnement. Certains hôpitaux ont commencé à travailler sur cette question de l'accueil. Il y a sans doute, à la fois de la part des équipes hospitalières et des institutions, à accueillir davantage ces familles et à prendre des mesures pour qu'elles aient leur place. Mais il est également important que la famille « prénne » sa place.

C'est toute une évolution qui commence à se faire, mais qui prendra sans doute du temps.

Chaque famille doit oser prendre sa place. Cela s'effectuera au fur et à mesure que le tabou de la mort reculera ; quand la mort sera de plus en plus intégrée à la vie, quand nous saurons en parler plus simplement. Mais il demeure très important que les familles ne se déchargent pas de leur rôle sur les institutions. Autrefois, c'étaient les communautés, les familles qui assumaient l'accompagnement. C'est donc comme un espace à reconquérir.

Alors, comment faire ?... Il n'y a évidemment pas de recette, puisque, comme je le disais, il s'agit d'une question d'évolution de la société tout entière et non pas seulement une question qui concerne les professionnels de la santé. Il ne faut pas croire que le problème puisse être résolu par la formation de quelques spécialistes ou la création de quelques lieux spécialisés. Cela ne changera rien, si la société tout entière ne change pas son rapport à la mort, si chacun ne se sent pas personnellement concerné chaque fois qu'un proche va mourir.

– Est-il suffisant d'aménager les structures pour inciter les familles à reconquérir une place alors qu'elles sont si souvent dans la peur ?

M. d. H. – Il s'agit surtout de mettre en place une véritable politique d'accueil des familles dans les institutions, ou de soutien à domicile lorsqu'elles choisissent de garder leur malade à la maison. Car les proches d'une personne mourante ont à faire face à une lourde tâche : assumer leur chagrin de perdre un être aimé, préparer le deuil, et en même temps accompagner une fin de vie. Finalement ils ne peuvent vraiment être à la hauteur de leur tâche d'accompagnement que s'ils sont eux-mêmes accompagnés, et c'est bien le travail des équipes soignantes que d'entourer ces familles, afin justement de leur permettre de dépasser leurs peurs et de rester là. Néanmoins il est vrai qu'actuellement, dans la plupart des cas, cela se fait difficilement. Dans les années qui viennent, l'effort devrait d'abord porter sur la formation des soignants, afin qu'ils se sentent davantage capables d'écouter et d'épauler les familles, puis sur l'ouverture des services à des bénévoles – car c'est aussi la tâche des bénévoles que de pouvoir soutenir les familles et d'être à leurs côtés dans les moments difficiles –, enfin il s'agirait bien sûr d'assouplir les règles hospitalières.

Accepter les familles est nécessaire, et c'est en fait un travail d'humilité de la part des médecins et des infirmières. Il leur faut reconnaître que ce moment de l'approche de la mort n'est pas un moment médical, mais un moment qui, à l'instar de la naissance, est un des passages de la vie. Ce n'est pas parce que l'on termine sa vie dans un service hospitalier que ce moment privilégié, et très important, ne doit pas prendre toute sa dimension ; il doit donc être vécu, accompagné, par tout l'entourage du malade.

C'est la raison pour laquelle il est si important que le personnel soignant comprenne cela de l'intérieur. De manière concrète cela veut dire s'effacer, ne pas être dans des rapports de pouvoir avec la famille, être davantage dans l'écoute et la disponibilité. Malheureusement nous évoquons là des qualités qui, la plupart du temps, ne sont pas encouragées.

Toutefois, pour que la famille puisse réellement occuper la place qui est la sienne auprès d'une personne mourante – et, si cela est nécessaire, l'exiger auprès d'une personnel hostile –, rappelons encore une fois que c'est le regard sur la mort qui doit changer, et que ce problème est complètement lié à la perte des valeurs spirituelles. Ce qui fait peur dans la mort, ce sont les questions qu'elle soulève, et ces questions portent directement sur le sens de la vie : y a-t-il un au-delà ? Quelle est notre origine ? Vers quoi allons-nous ? etc. En évitant de parler de la mort ce sont ces questions que nous évitons, et pourtant ce sont elles qui fondent l'homme. Être confronté à la mort oblige effectivement à une réflexion sur le sens de la vie, sur nos valeurs profondes, alors que nous sommes dans un monde où la plupart du temps ces interrogations-là sont évitées. Actuellement, les choses commencent à changer, nous notons par exemple un regain d'intérêt pour les questions philosophiques... Cependant, à la question « comment faire ? » je ne peux que répondre qu'il s'agit maintenant d'amplifier ce mouvement qui s'est mis en route.

– La peur que génère la mort serait-elle due à une impossibilité de « donner un sens à... » ? Est-il possible – et nécessaire – de donner un sens à la mort, ou plus concrètement à la perte de l'être aimé ?

M. d. H. – Il s'agirait plutôt de donner un sens au temps qui reste à vivre. Les gens se posent d'ailleurs plus souvent la question de donner un sens à leur vie que de donner un sens à leur mort. Cette question peut concerner le passé : « Qu'ai-je fait de ma vie ? » Il s'agira alors d'une relecture de sa vie avec ses moments de bonheur, de désespoir, de honte,

65

etc. Mais elle concerne également la notion du temps qui *reste* à vivre. Lorsque quelqu'un pressent qu'il va mourir, inévitablement il se demande quel sens pourront avoir les semaines, les mois qu'il lui reste. Aujourd'hui, beaucoup considèrent que ce temps qui reste à vivre – quand « il n'y a plus rien à faire » – n'a pas de valeur. Il est courant d'entendre dire : « Puisque nous ne pouvons plus rien, pourquoi ne pas abréger ? » Je vois les choses autrement. Je pense que ce n'est pas parce que la mort est proche qu'il n'y a pas quelque chose à vivre. Mon expérience et l'observation d'un certain nombre d'accompagnements m'ont confirmé que le temps du mourir est un temps qui a une valeur, un temps de transformation possible.

Dès le pressentiment de sa mort la personne s'engage, plus ou moins consciemment, dans un travail intérieur qui peut aller d'une simple remise en ordre sur un plan strictement matériel jusqu'à une remise en ordre relationnelle – revoir quelqu'un avec qui l'on est brouillé, demander pardon à celui ou à celle à qui l'on a fait de la peine, etc. On sent que les personnes mourantes ont besoin d'aller jusqu'au bout d'elles-mêmes. Il y a cette belle expression de Michel de M'uzan qui évoque une sorte d'« accouchement » de soi dans ce travail intérieur qui est « comme une tentative de se mettre complètement au monde avant de disparaître ».

Concrètement cela veut dire que certaines personnes, sentant que le temps qui reste est court,

mettent véritablement les « bouchées doubles »...
Bien sûr il y a toujours de l'inachevé. La personne
grabataire sur son lit ne pourra évidemment pas
réaliser tout ce qu'elle aurait souhaité. Mais elle
essaiera alors de symboliser ce qui n'a pas été vécu
par un geste, une parole ou un regard porteurs du
désir qui n'aura pas pu se vivre du tout, ou qui
n'aura pas pu se vivre jusqu'au bout. On rencontre
par exemple des personnes méchantes et agressives,
qui à la fin de leur vie s'adoucissent et deviennent
pleines de gentillesse et de bienveillance. Elles vont
jusqu'à dire à leurs proches des paroles d'amour.
Paroles qui bien sûr n'avaient jamais été prononcées auparavant. C'est une symbolisation. Par cette
parole, ce geste, elles vont en quelque sorte « ramas-
ser » tout ce désir d'amour qui était là en elles, et
qu'elles n'ont pas pu ou pas su vivre et manifester
plus tôt. Mais cette symbolisation par le geste, la
parole ou le regard est parfois tellement fine, tellement subtile, qu'on ne la voit pas. On porte alors un
jugement noir, pessimiste, négatif, sur ce qui se
passe.

Je me demande souvent si on n'enferme pas
l'autre, celui qui va mourir, dans une vision si négative et absurde de sa situation qu'il ne peut sortir de
notre propre vision. Il lui faudrait alors vraiment
une très forte personnalité pour pouvoir dépasser
cela et trouver un sens à ce qui se passe.

La plupart du temps l'attitude des proches
enfonce la personne mourante, qui ne peut même
pas se mettre à l'écoute de sa propre réponse inté-

rieure à cette question du sens. Car ce sens est véritablement le secret de chacun ; il existe un sens particulier pour chacun d'entre nous qu'il nous appartient de trouver. Cependant, si, pour le trouver, il faut pouvoir s'intérioriser, il faut également sentir que les autres acceptent de le recevoir et d'en être témoins. C'est pourquoi je pense que nous avons une grande responsabilité dans le regard que nous portons sur le temps de vie encore offert à la personne mourante, et l'espace que nous laissons pour que quelque chose jaillisse.

– Pour faire évoluer notre comportement devant la mort, s'agit-il de transformer le regard que nous portons sur le « temps du mourir », plutôt que celui concernant directement le phénomène de la mort ?

M. d. H. – Le regard sur la mort a son importance. Il est vrai que si l'on pense que la mort est la fin de tout, et qu'il n'y a même pas une porte ouverte sur le mystère, il est bien difficile de porter un regard positif sur le temps qui reste à vivre. Mais peu nombreux sont ceux qui pensent cela. La plupart sont dans un questionnement ouvert, c'est-à-dire que même ceux qui affirment ne croire en rien avouent cependant qu'ils ne savent pas, qu'ils ne voient pas tout, et ne comprennent pas tout... Il y a donc toujours une sorte d'ouverture vers quelque chose qui nous dépasse. À ce propos je pense à une malade qui m'avait dit : « Je ne crois en rien, mais je suis curieuse de la suite... »

4.

Au-delà du mensonge et de la vérité

Que dire à celui qui va mourir ?

– Bien que le mensonge soit fustigé dans notre éducation dès le plus jeune âge, il devient non seulement légitime mais presque recommandé dès lors que nous nous trouvons dans l'environnement de la maladie et de la mort.

Dans le cas de l'accompagnement d'un mourant, est-il juste de mentir ? Et doit-on, ou peut-on, dire la vérité ?

Jean-Yves Leloup – Cette question nous replace encore une fois devant notre présupposé anthropologique, car il est vrai que si nous croyons que l'être humain n'a que cette vie, il s'agit de la prolonger le plus longtemps possible, et de permettre de vivre le peu de temps qui reste dans les meilleures conditions. Pour Voltaire, par exemple, dire à un mourant qu'il va mourir, c'est lui empoisonner la vie, c'est hâter le dénouement de ses jours. Il faut à tout prix lui cacher la vérité, et lui raconter d'agréables mensonges. Dans cette attitude, on oublie que le corps de la personne en fin de vie sait, lui, qu'il va mourir, et ne pas lui avouer la vérité le placera dans une situation analogue à celle de l'enfant autiste (bien connue des psychiatres) : celle du « double message ». D'un côté, on vous annonce quelque chose, quand votre corps, lui, vous crie le contraire. De la rencontre de ce double message va naître alors une grande confusion.

Les mourants peuvent connaître un certain nombre de délires, dont nous sommes, nous accompagnants, parfois responsables lorsque nous ne leur disons pas la vérité alors que leur corps sait très bien ce qu'il en est.

La question n'est pas de savoir s'il faut exprimer ou non la vérité, le choix n'est pas entre la vérité et le mensonge. Mentir fait toujours du mal – que ce soit auprès d'un mourant ou dans la vie en général – mais, dans le cas précis du mourant, le mensonge peut accroître la difficulté dans laquelle il se trouve déjà. La question sera donc plutôt de savoir « comment » dire la vérité sans que cela enferme la personne dans ses symptômes, dans sa maladie, dans son être pour la mort.

Une vérité présentée de manière brutale sera, il est vrai, pire qu'un mensonge. Le médecin doit alors avoir le courage – ce qui fait normalement partie de sa profession – d'annoncer « ce qui est » sans emprisonner la personne dans cette mort prochaine, car lui-même n'est pas le maître de la vie. Toutefois, il n'a pas à cacher ce que ses appareils lui révèlent de la maladie, sinon le malade reçoit un mensonge consolant et, si d'un point de vue conscient il collabore avec celui-ci, il perçoit aussi inconsciemment dans son corps le message caché par le médecin.

Si sur un plan déontologique masquer la vérité peut être grave, la question demeure : comment la dire ?

Là joueront le ton de la voix, le geste de la main, le regard ; toutes ces attitudes qui offrent au malade une issue à ce que le diagnostic peut avoir de trop réducteur. Le médecin est présent pour rappeler au malade qu'il n'est pas « que » sa maladie. Il peut aussi rappeler au mortel qu'il accompagne dans ses derniers instants qu'il n'est peut-être pas seulement mortel. Mais cela suppose de sa part d'avoir cette vision globale de l'homme que nous évoquions au début.

– N'est-ce pas parfois le malade lui-même qui demande inconsciemment le mensonge ?

J.-Y. L. – Inconsciemment et consciemment, comme il l'a fait pendant toute sa vie. On ne cesse de demander à l'autre de nous mentir. Pour se rassurer, pour pouvoir se sentir aimé et aimable. En fait, le malade demande qu'on lui dise qu'il ne mourra pas. Même si tout son corps sait que la fin est inéluctable.

Parfois c'est donc bien le malade lui-même qui désire qu'on lui mente, mais il arrive une heure où son corps, où tout son être ne saura plus mentir. Et il serait dommage que la fin de la vie soit la fin d'un énorme mensonge.

La mort serait alors non seulement, comme le disent les bouddhistes, la « fin d'une illusion », mais aussi le terme d'un mensonge. La croyance en la permanence de toute chose est une forme de mensonge. Peut-on se croire beau pour toujours, intelligent pour toujours, vivant pour toujours ? L'approche de la mort peut être vraiment l'occasion de se découvrir mortel depuis toujours. C'est là une grande vérité toute simple qui, si elle est vraiment vécue, peut nous rendre totalement libre à l'égard de notre beauté qui n'est plus là, de notre mémoire qui n'est plus là, de notre intelligence qui n'est plus là et de notre vie qui bientôt ne sera plus là...

Car celui qui s'accepte mortel depuis toujours est plus grand que la mort.

– Le soignant, dans son expérience concrète, ressent-il aussi cette grande difficulté à exprimer la vérité à un mourant ?

Marie de Hennezel – Ceux qui vont mourir sont parfois bien seuls. C'est que rester en communication affective avec ses proches et ceux qui vous soignent implique un climat de vérité, d'authenticité qui fait trop souvent défaut. La charge d'angoisse liée à la séparation que tout le monde pressent empoisonne souvent l'atmosphère et pèse de tout son poids sur la qualité des échanges. On ne sait pas mettre des mots sur ce qui fait mal. Les mots, les gestes pour dire au revoir, donner la permission de s'en aller, rassurer l'avenir de ceux qui restent, sont comme gelés, prisonniers des tabous que nous évoquions plus haut.

En fait, il y a une énorme culpabilité chez les soignants et chez les proches face à la mort de quelqu'un. La peur qu'en abordant la question de la mort avec un mourant celui-ci puisse avoir l'impression qu'on baisse les bras, donc qu'on va l'abandonner. La conspiration du silence qui se crée alors entraîne beaucoup de souffrance de part et d'autre.

Elle revient à empêcher toute communication vraie et profonde. Souvent elle est facteur d'aggravation de la douleur, ou la cause d'états de confusion mentale. Chez les soignants et les proches, elle crée un malaise qui confine à l'insupportable, et qui entraîne inévitablement un comportement de fuite.

Il n'est pas facile de rompre cette conspiration, parce qu'il y a comme une escalade de surprotection : le mourant protège les siens dont il perçoit de manière très fine l'angoisse, l'entourage protège le mourant dont il sous-estime la capacité à faire face à la situation.

Le problème bien sûr ne se limite pas à la révélation d'un diagnostic ou d'un pronostic. C'est un problème de communication et de relation. Pour Elizabeth Kübler-Ross, le mourant sait toujours. Son corps sait, son inconscient sait. Sans compter qu'il sent et perçoit tout ce qui se passe autour de lui, les regards, les bribes de conversation, les silences gênés.

La question n'est donc pas effectivement de savoir s'il faut ou non lui dire la vérité, mais comment partager avec lui ce savoir, comment lui permettre de nous dire ce qu'il sait, de partager avec nous ce qu'il sent. On condamne trop souvent le mourant au silence lorsqu'il exprime la conscience qu'il a de l'aggravation de son mal. La question est de savoir si nous pouvons supporter de parler avec lui de sa mort.

Un malade mutique, douloureux, au visage et aux yeux fermés, évitant le contact, ne nous dit pas forcément qu'il refuse de parler de sa mort. Il nous dit peut-être qu'il a déjà risqué le dialogue et rencontré la peur dans le regard des autres ! Il nous dit peut-être qu'il se sent seul !

Si l'on doit absolument respecter le refus d'une personne de nous parler, il faut savoir par contre lui faire comprendre que nous sommes prêt à la rencontrer dans sa question et sa peur, au moment où elle le voudra, et au niveau où elle le souhaitera.

Il faut donc lui faire sentir que nous ne nous déroberons pas. On sait qu'une certaine disponibilité, une façon de s'asseoir au lit du patient et de se mettre à l'écoute silencieuse sont autant de signes qui montrent que l'on est prêt à aborder ces questions douloureuses avec lui. Il n'est pas rare que la personne nous dise d'elle-même « je vais mourir », parole dont il nous appartient de prendre acte, tout en la rassurant sur le fait que nous ne l'abandonnerons pas.

Cette question de la vérité demande donc de mobiliser au plus profond de soi-même toutes ses forces d'amour, pour comprendre et deviner la réponse que le mourant attend de nous. Cette question doit se résoudre dans une rencontre d'amour. Il n'y a donc pas de recette, pas de truc, peut-être quelques principes : savoir que la vérité d'un mourant est paradoxale. On peut sentit que l'on va mourir et ne pas y croire tout à fait, garder une forme d'espoir. Tout le processus du mourir est d'ailleurs sous-tendu par un espoir permanent qui prend les formes les plus variées : espoir de guérison, espoir d'un miracle, puis souvent à la fin espoir d'une petite rallonge à la vie.

Certaines personnes, à quelques jours de leur mort, vous parlent d'elles avec une lucidité qui ne laisse aucun doute sur la conscience qu'elles en ont. Puis, dans la même conversation, ou quelques heures plus tard, elles échafaudent des projets d'avenir, comme si elles étaient éternelles, ou disent qu'elles se sentent mieux et reprennent espoir.

– S'agit-il d'un déni de la mort ?

M. d. H. – Je crois plutôt que la personne nous communique la nature paradoxale de son expérience. Freud la met au compte d'un clivage du moi, du cheminement de deux pensées contradictoires qui coexistent mais n'ont pas de liens entre elles. L'une dit : « Je sais que je vais mourir », l'autre dit : « La mort n'existe pas. » Cette deuxième pensée, nous dit Freud, s'enracine dans l'inconscient pour lequel la mort n'est pas représentable. Cela nous aide à comprendre qu'une personne au seuil de la mort peut être à la fois parfaitement lucide, dicter son testament, distribuer ses biens, etc., et cependant continuer dans le même temps à espérer.

— Est-il juste de laisser le mourant dans une telle ambiguïté ?

M. d. H. – Ce mode de fonctionnement doit être respecté, car il préserve une certaine vitalité jusqu'au bout. Accompagner signifie s'ajuster au plus près de ce que vit le mourant et le soutenir jusqu'au bout, au niveau qu'il a lui-même choisi.

Il ne s'agit pas de mentir, mais de partager avec lui l'espoir que quelque chose d'imprévu arrive, une détente soudaine, une rémission... Il ne faut pas oublier que le temps qui lui reste à vivre lui appartient. On sait que certaines personnes vivent au-delà de toutes prévisions médicales, lorsqu'une échéance intime signifiante les tient en vie. Et le mystère des corps reste entier !

Il y a donc deux écueils à éviter : d'abord communiquer son propre désespoir quand l'autre a encore besoin d'espoir pour vivre, et puis s'accrocher à l'espoir quand l'autre nous fait signe qu'il n'en a plus.

Dans le premier cas, ce désespoir de l'entourage se traduit souvent par une fuite ou un abandon. Or la personne mourante a besoin d'être considérée comme une personne vivante jusqu'au bout.

Dans le deuxième cas, on passe à côté de l'intimité des derniers instants, car, lorsqu'un mourant n'a plus d'espoir et sent sa mort imminente, c'est le moment où il a le plus besoin de calme, d'une présence silencieuse et peut-être priante, qui ne l'attache pas, ne le retient pas et lui laisse la liberté de partir.

Lorsque l'attitude et la parole de ceux qui accompagnent ne viennent pas en contradiction avec ce que la personne mourante sait ou ce qu'elle pressent, c'est à un soulagement que l'on assiste et non pas à un effondrement. J'en ai témoigné à plusieurs reprises dans mon dernier ouvrage, *La Mort intime.*

– Cette « conspiration du silence » ne peut-elle être déjouée ?

M. d. H. – Il n'est pas toujours possible d'en sortir, et certaines personnes meurent sans avoir pu partager leurs sentiments avec leurs proches. Il se peut que le coma agonique qui précède le moment de la mort soit alors une sorte d'ultime issue à la souffrance affective de ne pouvoir communiquer avec les siens. Une sorte de refuge. La vie est toujours là, la personne semble s'être retirée dans les souterrains de son être. Le coma semble être une sorte de mise en veilleuse, d'attente. Peut-être une façon de laisser à l'entourage le temps de se préparer, d'accepter le départ, peut-être l'attente d'une parole d'adieu, d'une permission de mourir, ou d'une ultime étreinte qui permette de lâcher son propre corps et de mourir.

5.

Peurs et culpabilités
dans le quotidien de l'accompagnement

– De quoi a-t-on peur, au seuil de la mort ?

Marie de Hennezel – Les deux grandes peurs que les gens expriment sont celle de la douleur physique avant de mourir comme au moment de la mort, et celle de la solitude et de l'abandon. C'est la raison pour laquelle les soins palliatifs s'attachent en priorité à soulager la douleur physique et à assurer une présence auprès de celui qui meurt. Mais, autour de ces deux peurs-là, se greffent toutes sortes d'autres peurs, comme la peur d'être séparé de ceux qu'on aime – que deviendront-ils ? –, la peur de cette rupture des échanges, et puis aussi la peur d'assister à sa dégradation physique et peut-être mentale, la peur de perdre une certaine image de soi, à laquelle on s'était identifié. Celle de perdre le contrôle des choses, de devenir dépendant, de perdre son autonomie, d'être à la merci des autres. Mourir, c'est perdre tout cela, et, pour certains, ces pertes à vivre sont bien plus redoutables que la mort elle-même.

Jean-Yves Leloup – Car, pour les vivre, il faut sentir que l'on est aimé au-delà des fonctions ou de l'image auxquelles on s'était identifié. Et souvent cette confiance dans l'amour manque. Il y a donc à la racine de la peur de la mort une peur d'aimer ou de se laisser aimer. Une faille narcissique, diraient les psychanalystes. À la source de cette émotion qu'est la peur, il y a en fait une mémoire, une mémoire archaïque. Quelquefois notre peur de la mort est donc liée à des expériences douloureuses : on a fait confiance à quelqu'un, on a pensé qu'il pouvait nous aimer, ou que nous pouvions l'aimer, et nous avons été trompé dans ce mouvement de don, d'abandon. À partir de là, on ne peut plus se donner, on ne peut plus faire confiance, parce que les ressentis qui demeurent en nous nous incitent à croire que l'on ne sera pas reçu. Je comprends tout à fait saint Jean quand il dit que le contraire de l'amour n'est pas la haine, mais la peur. L'amour véritable bannit la crainte [1], nous délivre d'elle.

Nous portons bien en nous toutes sortes de peurs qui s'enracinent dans notre psychisme, et sur lesquelles peut alors se greffer une dimension spirituelle ou religieuse qui n'arrange pas toujours les choses ; c'est là que peut se greffer la culpabilité. De même que la peur de souffrir peut être cause de souffrance, la peur peut aussi amener le sentiment d'être coupable de sa maladie, « responsable » du mal.

---

1. Jean, IV, 8, « Le parfait amour bannit la crainte ».

Chercher la cause revient souvent à chercher le coupable... Et l'on ne peut pas nier qu'aujourd'hui certains discours religieux disent que la maladie est le châtiment de Dieu ! Alors comment sortir de tout cela... Car justement le rôle d'une tradition religieuse ou spirituelle n'est pas d'aggraver cette peur liée à nos mémoires et à nos pensées, pas plus que d'aggraver cette culpabilité.

L'homme n'est pas la conséquence négative de ses actes. Pour moi, c'est là qu'intervient la nécessité du pardon, d'une parole de pardon. La tâche d'une tradition spirituelle est de nous rappeler cette phrase souvent citée : « Si ton cœur te condamne, Dieu est plus grand que ton cœur[1]. » Elle n'est pas de nous enfermer dans la peur et la culpabilité.

— N'y a-t-il pas aussi une peur de l'inconnu devant la mort ?

J.-Y. L. – En fait ce qui fait peur aux uns fascine les autres : « Enfin je vais savoir... je vais savoir la vérité, je vais voir la vérité en face... »

C'est dans l'attitude de saint Jean : « Nous verrons Dieu tel qu'Il est[2] », c'est-à-dire nous verrons la Réalité telle qu'elle est : sans les interprétations du moi, ses mémoires et ses projections. Mais cet

1. Jean, III, 20.
2. ID., *ibid.*

Inconnu en terrifie beaucoup, et il peut devenir d'autant plus terrifiant si, dans une certaine éducation, il a été dit que le moment de la mort est le moment du jugement.

Il y a des périodes dans l'histoire judéo-chrétienne où la bonne mort, c'est la mort qu'on voit venir, la mort qu'on a le temps d'apprivoiser. On prie alors pour vivre cette « bonne mort ». Chez les Anciens, par exemple pour Abraham, la mort est un « repos ». « Nous allons reposer avec les Pères. » On invite ses enfants, on transmet les dernières paroles – des paroles de sagesse : « Entre dans mon Repos » – enfin on va se reposer. Comme il est dit dans le texte biblique : « Il partit, rassasié de jour... » Alors qu'aujourd'hui, dans les prières que j'entends, les souhaits sont plutôt : « Pourvu que je ne me voie pas mourir ! Je veux bien mourir, mais surtout que je ne le voie pas arriver ! » Les peurs évoluent, elles appartiennent évidemment à nos mémoires personnelles, mais également à la collectivité dans laquelle nous nous trouvons. La « bonne mort » du Moyen Âge, et la « bonne mort » d'aujourd'hui sont bien différentes. Aujourd'hui on préfère la mort violente, pour éviter de se poser la question d'un « après ».

Cependant, dans certains milieux chrétiens, hindous ou bouddhistes, le moment de la mort reste vraiment celui du jugement. Cette pensée est également présente dans les mythologies contemporaines : avant de contempler la « claire lumière », vers laquelle nous allons à travers le tunnel obscur, il y a ce temps où dans le « Miroir de la justice » nous voyons nos actes positifs et négatifs, etc. (Cf. Raymond Moody[1]).

Le moment de notre mort serait le résultat de tout ce que l'on a vécu personnellement et collectivement. Voilà pourquoi au moment de la mort nous pouvons être le témoin de scènes étranges. Nous pouvons avoir l'impression que certaines personnes ne sont pas seulement en train de résoudre leurs propres problèmes, mais qu'elles effectuent un travail presque « transgénérationnel ». Qu'elles achèvent le travail, non seulement pour elles-mêmes mais pour toute une lignée, toute une collectivité...

La peur est une réalité complexe, et celle du jugement, notamment dans certains milieux chrétiens, a rendu la mort redoutable et redoutée. Mais nous avons oublié qu'au moment de la mort nous serons jugés, non par un regard de juge, mais par un regard d'enfant. Ce regard d'enfant est d'ailleurs beaucoup plus terrifiant, car il est celui de l'innocence, et, devant cette innocence, nous voyons à quel point nous n'avons pas aimé l'amour, à quel point nous n'avons pas aimé la vie...

Je crois vraiment que nous serons jugés par un regard d'enfant... mais, parce qu'il est d'une infinie miséricorde, nous ne devrions pas en avoir peur.

Nous pouvons alors vivre la mort dans un état de totale lucidité et de totale espérance. Un état presque paradoxal.

1. *La Vie après la vie,* Robert Laffont, 1977.

J'ai parfois vu, dans les derniers instants d'une vie, s'opérer des rédemptions. C'est comme si tout l'amour qui n'avait pas pu être donné était offert là, dans ces dernières heures.

On peut alors voir des nœuds familiaux se dénouer en quelques instants. Comme si soudain, devant cette expérience d'une bonté qui n'est pas la nôtre (qui ne peut être que celle de plus grand que nous, parce que avec notre seule bonté certains événements semblent impardonnables, injustifiables), il y avait alors une sorte de plongée dans une autre dimension à l'intérieur de nous-même qui fait que l'on peut donner, pardonner. Ces personnes-là meurent réconciliées.

L'accompagnement spirituel devrait permettre de ramener quelqu'un vers ce lieu de lui-même plus grand que lui-même, plus aimant, plus pardonnant que lui-même. Il peut ainsi y avoir des morts rédemptrices. Des morts où la dimension du don « sauve » en quelque sorte toute une famille, toute une génération. Nous sommes bien au-delà de la peur. L'amour bannit la crainte et, si nous sommes nés pour apprendre à aimer, même aux derniers instants il n'est pas trop tard.

On ne meurt pas sans avoir aimé, ne serait-ce que deux minutes, mais deux minutes peuvent suffire, pendant lesquelles nous aurons oublié d'être rancunier, et même de souffrir.

Il s'opère alors une percée, une « pâque », comme un passage à travers un tombeau vide, qui nous permet d'aller au-delà de la peur.

Cet au-delà de la peur et de la culpabilité nous emmène, comme le dit l'histoire du tombeau vide dans l'Évangile, vers la résurrection : vers un amour plus fort que la mort.

M. d. H. – En ce qui concerne la peur de l'inconnu, j'aimerais citer une anecdote significative. Je vois effectivement souvent des gens qui me disent avoir peur du passage. En fait, ce dont il est question est bien l'abandon, la peur de s'abandonner, de s'abandonner à la mort. Il ne s'agit pas de la peur de la mort elle-même, mais de la peur du passage dans l'inconnu. Généralement je fais remarquer que notre organisme a su naître – il a su traverser un passage fondamental.

Pourquoi ne saurait-il pas aussi mourir ? Il faut faire confiance à ce qui en nous sait se transformer et vivre des passages. Peut-être pouvons-nous sentir également que, puisque nous avons été accueillis à la naissance, nous pourrions l'être aussi au moment de la mort. Cette notion d'accueil était souvent évoquée par Françoise Dolto. Elle utilisait le terme de « comité d'accueil » en parlant de ces invisibles (ceux qui sont morts avant nous) qui, au moment de la mort, sont là pour nous accueillir.

D'ailleurs, certaines personnes mourantes disent les voir là, dans leur chambre... On pourrait penser que ce sont des hallucinations. Cependant il s'agit de malades qui ne sont ni dans un état psychotique ni sous une médication particulière qui justifieraient une altération quelconque de leurs perceptions. Cette perception est alors sans doute de l'ordre du *Noûs*, de l'imaginal.

– Quelles peurs, quelles culpabilités rencontre-t-on chez ceux qui accompagnent ?

M. d. H. – Il y a bien des niveaux de culpabilité. On se sent coupable de rester en vie, alors que l'autre meurt, c'est ce qu'on appelle la « culpabilité du survivant ».

On se sent coupable de n'avoir pas tout fait pour sauver l'autre. Cela va même jusqu'à mettre en cause la qualité de son amour pour l'autre : « Si je l'avais mieux aimé, il ne serait pas en train de mourir ! » Si l'autre meurt, cela devient l'échec de notre amour pour lui.

Il y a bien sûr un fantasme de toute-puissance. Comme si l'amour pouvait empêcher de mourir ! Pour la famille, ce qui rend si difficile l'acceptation de la mort de l'autre, ce qui fait qu'il est si difficile de donner la permission de mourir, c'est précisément ce sentiment d'échec. Comme si « donner la permission de mourir » était la traduction d'un échec de l'amour ! Alors qu'il s'agit au contraire d'un ultime acte d'amour : rendre l'autre à sa liberté, à son destin.

Et puis on se sent coupable parfois de désirer la mort de quelqu'un, de la souhaiter quand l'agonie traîne en longueur. Comment d'ailleurs ne pas ressentir cette envie d'en finir, ce désir inavouable que l'autre meure – qui côtoie naturellement le désir de retenir l'autre encore un peu ? Quand on est épuisé par des nuits de veille, des heures de présence et de soins dans une chambre confinée, quand on vit depuis des semaines dans une sorte de bulle ou de parenthèse, qu'on se sent coupé de tout ce qui fait l'ordinaire de la vie, le travail, les amis, les activités, pour ne plus se consacrer qu'aux ultimes moments d'un être cher, comment ne pas ressentir cette « ambivalence » des sentiments ? L'amour, la tendresse, la sollicitude d'une part, mais aussi la révolte, la colère, l'épuisement à l'égard d'une situation qui bouleverse tout et rend finalement la vie impossible !

J.-Y. L. – Il faut également noter la culpabilité et la peur du corps médical lui-même. Je cite souvent l'exemple de la lettre que Freud adressa à un ami au moment de la mort de sa fille Sophie, qu'il ressentit comme une « blessure narcissique irréparable ». Le monde médical se sent coupable des limites de sa technique, et fuit. Il s'agit vraiment d'une blessure narcissique, et ce narcissisme blessé est celui d'une société qui se croit toute-puissante à cause de ses « progrès ».

Il y a donc bien une culpabilité : celle d'une civilisation technique qui, devant la mort, touche ses limites.

M. d. H. – Nous sommes constamment confrontés à notre impuissance. Devant la mort que nous ne pouvons pas empêcher. Devant la dégradation physique de l'autre qui l'entraîne dans un sentiment de perte d'identité et de dignité. Devant le chagrin des familles, le malaise de ceux qui ne savent pas être proches, communiquer, parce qu'ils n'ont jamais pu le faire, et que le peu de temps qui reste rend tout à coup ce manque d'intimité insupportable.

Devant tout cela nous ne pouvons pas grandchose. Pourtant, c'est bien lorsqu'un soignant, ou un accompagnant, touche son propre sentiment d'impuissance qu'il est le plus proche de celui qui souffre. Tant que nous n'avons pas accepté nos limites, tant que nous n'assumons pas notre part d'impuissance, nous ne pouvons pas être réellement proche de ceux qui vont mourir.

Au lieu de cela, nous construisons toutes sortes de barrières défensives. Nous retenons nos larmes, nous retenons notre chagrin, nous cachons notre désarroi derrière l'activisme ou derrière un flot de paroles superficielles qui n'ont pas d'autre but que de combler un silence que nous redoutons.

Et puis nous prenons la fuite, parce que nous n'en pouvons plus, et nous allons « craquer » dehors. Et, quand nous revenons au lit de celui qui meurt, c'est pour remettre notre masque de personne solide qui essaie d'injecter de la force et du courage.

Si nous pouvions seulement accepter d'être touché par la souffrance de l'autre, d'être démuni devant la mort ! Cela humaniserait la relation.

On dit que l'expérience du deuil nous humanise. C'est vrai, elle nous jette au bas de notre piédestal narcissique, elle nous fait mal, elle nous humilie, elle nous rappelle que nous ne sommes pas tout-puissant, que tout passe, tout change, que nous n'aurons pas toujours près de nous ceux que nous aimons. Et toute cette douleur du deuil, contre laquelle nous nous défendons de toutes les manières possibles, finit par creuser en nous un espace. Un espace de pauvreté et de fécondité. Un espace pour aimer.

J'ai souvent fait l'expérience d'abaisser mes propres barrières devant la souffrance de l'autre. Il m'a semblé que c'est comme cela que je pouvais l'aider et le rencontrer vraiment. Cela créait comme un pont entre lui et moi.

Je me souviens de l'expérience vécue par une infirmière qui venait d'accueillir dans son service une jeune femme mortellement atteinte d'une tumeur au cou. Lorsque cette jeune femme lui a demandé si elle allait mourir, l'infirmière s'est sentie comme aspirée au fond d'un trou. Elle ne savait plus quoi dire ni quoi faire. Des larmes sont montées dans ses yeux, qu'elle n'a pas cherché à dissimuler. Elle n'a pas « dit la vérité », elle est restée vraie ! Et rester vrai, à cet instant, c'était rester près de son sentiment d'impuissance radicale, ne pas fuir, rester là. C'est alors qu'elle a entendu la jeune femme lui dire : « Ça va, j'ai compris, je te remercie, parlons d'autre chose maintenant. »

La leçon de cette histoire, c'est qu'en restant proche de sa propre impuissance elle a en fait permis à sa jeune malade de faire face.

Même si nous sommes en bonne santé, et apparemment loin du moment de notre propre mort, il n'en demeure pas moins que nous sommes tous habités par une souffrance ontologique, celle de savoir que nous sommes mortels, et que nous ne pouvons rien contre la mort.

Certaines questions de nos mourants nous rapprochent de cette souffrance. C'est Maurice Zundel qui disait qu'il est d'ailleurs impossible dans ces moments-là de ne pas sortir de soi-même. « On est jeté dans le cœur d'autrui avec une telle puissance qu'on s'identifie à lui. Mais c'est pour vivre une communion prodigieuse dont on perçoit, ici et maintenant, qu'elle est infinie et éternelle [1]. »

Ces moments d'impuissance partagée sont des moments de grâce, de bénédiction. Si nous n'avons pas peur de les contacter, il se crée alors entre l'autre et nous une communion intime, une rencontre authentique entre deux personnes également démunies devant cette question de la souffrance et de la mort. Et chacun sort de ce moment grandi, parce que, dans l'acceptation de son impuissance et de sa pauvreté face à la mort, il y a une fécondité.

---

1. Maurice Zundel, *À l'écoute du silence, op. cit.*

– De nombreux philosophes disent qu'il est impossible de se préparer à la mort, ou plus exactement d'« apprendre à mourir ».

Ne s'agirait-il pas plutôt d'apprendre à aimer ? Apprendre à aimer dans le sens du Cantique des cantiques : apprendre à dire à l'autre : « Va... » ?

M. d. H. – Oui, apprendre à vivre c'est apprendre à aimer et donc apprendre à perdre. Tout cela va ensemble, évidemment. Mais il est très juste de dire que l'on ne peut pas « apprendre » à mourir, puisque nous n'avons aucun moyen de nous « exercer ». Apprendre à aimer c'est accepter ses limites, assumer son impuissance et seulement être là dans l'acceptation du déroulement des choses, de ce qui est. La vie est cet apprentissage-là : l'acceptation du réel.

– Existe-t-il dans les traditions des paroles vives, comme « le contraire de l'amour c'est la peur », de saint Jean, pouvant justement nous aider à aimer sans avoir cette peur de perdre ?

J.-Y. L. – Une des paroles est justement de pouvoir dire à l'autre : « Va... Va vers toi-même. » C'est ce que dit Dieu à Abraham [1]. Apprendre à aimer c'est apprendre à perdre... Que nous enseigne la mort que la solitude ne nous ait déjà murmuré ?

1. Cf. Genèse, XI, 1 : « Laisse ton pays, tes parents, va vers toi-même *(lek lekka)* vers le pays que je t'indiquerai. »

Je pense souvent au mot de Lacan qui dit que « l'amour c'est donner ce que l'on n'a pas à quelqu'un qui n'en veut pas... ». D'un point de vue psychique, l'amour est souvent « quelque-chose-que-l'on-a », mais l'amour est-il un « avoir » ?

Généralement on aime pour être aimé, alors que la mort nous apprend, elle, à aimer l'autre en le laissant être un autre, en le laissant être dans son altérité. Finalement, il faut savoir perdre ce à quoi nous tenons le plus, car c'est dans cette liberté qu'on l'aime vraiment. Cette vie que nous aimons passionnément (la nôtre), c'est bien en la lâchant qu'on l'aime davantage. Nous comprenons ainsi que cette vie est « un autre », que « Je est un autre » ; cet être qu'on aime, c'est le jour où l'on sera capable de lui permettre d'aller « là où il va » qu'on l'aimera le mieux... Souvent les mourants attendent notre permission. Il faudrait parvenir à dire : « Va vers toi-même, je suis avec toi... »

Va vers toi-même (je ne peux pas y aller à ta place...), mais je suis avec toi (complètement impuissant, mais là...).

S'il nous arrive d'aimer quelqu'un dans notre vie, nous découvrons que, s'il est impossible de faire le bien de l'autre à sa place, on peut tout de même être « avec » lui. Bien sûr, personne ne peut ni vivre ni mourir à notre place, mais nous pouvons « être avec » celui qui vit comme « avec » celui qui meurt..., celui qu'on aime. Nous sommes alors dans un rapport de liberté, le rapport d'un humanisme vraiment ouvert.

Le drame d'un humanisme clos est de refuser cette liberté à l'homme. Il nous faut imaginer que l'homme n'est pas que conditionné ; croire que l'homme n'est pas que conditionnements.

Nous ne sommes sans doute pas libres de cet argile ou de ce marbre dont nous sommes faits, mais nous sommes libres de la forme que nous lui donnerons.

6.

L'accompagnement : une pratique compassionnelle

– Si le manque essentiel en milieu hospitalier n'est pas tant un manque de spiritualité qu'un manque d'humanité, quels sont les actes concrets qu'un soignant ou un accompagnant vont pouvoir poser afin d'aider ce passage, et ce malgré leurs peurs et leurs culpabilités ?

Marie de Hennezel – Je crois que l'on ne peut pas grand-chose face à la souffrance des personnes qui vont mourir et à leur mort, mais on peut au moins offrir sa présence et son attention.

Dans les services de soins palliatifs, on attache beaucoup d'importance à la qualité de présence et d'être. Que peut-on humainement offrir, sinon la profondeur de notre présence et la finesse de notre attention ? C'est ce qui justement permet de faire le pont avec celle ou celui qui va mourir, qui lui permet de rester relié ; relié à lui-même, relié aux autres, relié à ce qui le dépasse. Dès lors on attachera énormément d'attention à la qualité de la présence, à la conscience avec laquelle nous ferons les choses. On ne posera pas nécessairement de gestes particuliers, mais on se laissera plutôt guider par le quotidien du soin, en mettant l'accent sur la conscience avec laquelle on fait les choses.

Faire une toilette à quelqu'un, lui donner un bain, lui soigner une escarre, lui masser les pieds ou même simplement le retourner dans son lit, tout peut se faire avec une approche consciente de ce qu'est véritablement la personne. Elle ne se réduit pas à un corps en ruine, proche de la décomposition, elle est infiniment plus que ce corps ; quels que soient les mots que certains utiliseront : un esprit incarné dans un corps, un mystère vivant..., elle est bien davantage que ce que nous voyons.

Si nous approchons cette personne, si nous la regardons, si nous la touchons avec cette conscience de ce qu'elle est, notre approche, nos gestes, nos regards seront imprégnés de cette qualité de confirmation affective, de confirmation de l'autre. C'est par notre manière d'être que nous pouvons faire sentir à quelqu'un qu'il est davantage que ce qu'il nous donne à voir. Cela n'exclut évidemment pas les paroles, mais souvent nous sommes habitués à des paroles faussement rassurantes qui sont en décalage complet avec notre manière d'être. Alors que la manière de toucher ne trompe pas. C'est le quotidien des soins qui offre l'occasion de rencontrer la personne en la touchant. Cette approche-là est proche du sacré.

Quand, par exemple, on fait un massage du visage – qui n'est ni un massage « technique » ni un soin de beauté – qui certes vise à la détente du malade, mais qui, bien au-delà, s'adresse en fait à l'« icône » de la personne, quand on approche une main avec respect et douceur et que l'on effectue des gestes de détente du visage, on voit naître sous ses doigts comme une lumière intérieure. C'est comme si la peau répondait à la main qui l'approche ; on dirait que le visage vient à la rencontre de la main, et c'est cette rencontre qui donne ce sentiment de rayonnement. C'est une expérience que tout le monde peut faire : aide-soignant, infirmière, mais aussi les proches. Quelque chose d'aussi simple que cela peut non seulement procurer à la personne mourante un apaisement, mais plus profondément le sentiment d'être rendue à sa beauté intime qui n'a rien à voir avec le corps objectif.

Prendre soin du corps d'un mourant peut donc être vécu comme une tâche sacrée ! Une qualité de toucher, pleine de respect et de tendresse, est un équivalent symbolique de l'huile que les traditions utilisaient pour signifier la dimension transcendantale du corps.

Il y a donc cette manière de toucher l'autre comme si on touchait Dieu Lui-même, ou le Bien-Aimé. Et puis, il y a tout ce que l'on peut faire pour créer une atmosphère de calme, propice à la paix de l'esprit et à la joie intérieure. La musique sacrée, l'encens, une bougie qui brûle sur la table de nuit. Tous ces petits détails contribuent à créer un climat de calme. La tradition bouddhiste attache une très grande importance à cette nécessité de calme et d'atmosphère paisible autour du mourant. Mais on peut aussi créer le calme sans tout cela, simplement par une présence vivante, attentionnée, silencieuse, respectueuse. Bien sûr, plus on est attaché à quelqu'un, plus on refuse sa mort, et plus il est difficile de rester là, dans une présence ouverte et calme. Plus il est difficile de veiller l'agonie d'un être cher, dans cette communication subtile d'âme à âme ou de cœur à cœur.

Quand on est emporté par ses propres émotions et son propre chagrin, comment peut-on rester là, calmement, et aider l'autre à partir ?

– *Afin de pouvoir offrir au mourant ce climat de paix, conjugué à une qualité de présence, sur lequel la tradition bouddhiste insiste tant, l'accompagnant ne doit-il pas pour cela avoir lui-même atteint un équilibre intérieur et une maîtrise de ses émotions ? L'enseignement bouddhiste du « détachement » permettant cette attitude ne risque-t-il pas par ailleurs d'être mal assimilé par un Occidental et alors de se transformer en simple « indifférence » ?*

Jean-Yves Leloup – Le détachement, ou « non-attachement », sans la compassion, c'est effectivement l'indifférence. Voilà pourquoi dans l'authentique tradition bouddhiste, vraiment très proche de la tradition chrétienne, le non-attachement est une condition pour que la compassion soit réelle ; c'est une des conditions de l'amour. Les Pères du désert disent que l'amour naît du calme...

Pour exprimer cela ils emploient le mot *hêsukhia*. Il traduit le mot *shanti* en sanskrit, *shalom* en hébreu, *quies* en latin : aimer un être c'est avoir l'esprit apaisé, afin de lui permettre d'être ce qu'il est dans le moment où il est. Cette notion de calme auprès de quelqu'un qui souffre est donc aussi extrêmement importante dans la tradition hésychaste, celle des Pères du désert, comme chez les moines occidentaux.

Toutefois, si le non-attachement sans la compassion est bien de l'indifférence, pourquoi dans certains rituels chrétiens existe-t-il une manière de dramatiser la mort avec, par exemple, des pleureuses, etc. ? Le but est « d'extérioriser » la souffrance qui nous habite. Dans le judaïsme on peut « s'arracher les cheveux », déchirer ses vêtements, afin de rappeler que, socialement et personnellement, un travail de deuil est à effectuer[1]. Ce que les Grecs appelaient une « catharsis », avant d'entrer dans le calme de l'acceptation.

– Sait-on vraiment ce qu'est la compassion, quand il existe une fréquente confusion entre la compassion et la pitié ? Que signifient ces deux termes, et quelle est leur différence fondamentale ?

J.-Y. L. – L'étymologie du mot compassion nous dit : « com » : avec, « passion » : pâtir. Lorsque nous parlons aujourd'hui de passion nous pensons aussi-

1. Cf. Livre de Job, II, 11.

tôt à passion amoureuse, alors que l'étymologie profonde signifie « être avec ». La compassion, c'est ne pas avoir peur de la souffrance de l'autre et la prendre en soi. Non pour la garder ou pour s'y complaire, sinon, nous serions dans le masochisme et la complaisance !

Le mot « pitié », lui, se retrouve dans le Kyrie eleison qui signifie littéralement : « Seigneur envoie Ton Souffle, envoie Ta miséricorde. » Quant au mot « miséricorde », c'est mettre son cœur dans la misère de l'autre. Demeurer humain et sensible.

Mais le terme de « pitié » implique, en français, une certaine condescendance. Aujourd'hui ce sont des mots difficiles à employer ; dans certains milieux on préférera donc utiliser des mots moins usés, moins fatigués, comme celui de compassion. De plus... il a une petite saveur orientale.

Mais l'important demeure l'expérience d'une ouverture du cœur à ce que vit l'autre, sans en être submergé.

M. d. H. – Personnellement, je perçois une différence très importante entre le mot « pitié », tel qu'il est employé de nos jours, et le mot « compassion ». Dans la pitié il y a le mur d'une défense contre sa propre souffrance. Dans la pitié nous ne sommes pas en contact avec notre propre souffrance d'être humain. Nous sommes celui qui est en bonne santé, en position de force, face à celui qui est démuni et qui souffre... On parle de « chaleur professionnelle ». Ce terme renvoie à une attitude très défensive. Il faudrait être attentif, chaleureux avec quelqu'un qui souffre, tout en demeurant celui qui domine !

Cette attitude peut très vite dériver vers quelque chose d'insupportable pour le malade, car il s'agit bien d'une forme de pitié. En revanche, si cette chaleur est ancrée dans ce qui, en nous, est touché et souffre de voir l'autre souffrir, si cette chaleur ne s'abrite pas derrière des défenses professionnelles, alors nous ne sommes pas dans la pitié.

J.-Y. L. – « Pitié » est devenu un mot « mental », qui place l'autre comme un objet extérieur. Alors qu'à l'origine c'est la miséricorde, et plus profondément encore la « matrice ». André Chouraqui traduit « Bienheureux les miséricordieux, ils recevront miséricorde », par « Bienheureux les matriciels, ils seront matriciés ». Il s'agit d'écouter quelqu'un avec son ventre, de le recevoir et de le porter dans son ventre.

La souffrance de l'autre est à « digérer », on l'a dans le ventre ; c'est parfois un coup que l'on reçoit, et nous avons alors à la porter, comme un enfant.

Le sens profond du mot « pitié », c'est accéder à cette qualité « matricielle » ; on n'écoute pas seulement l'autre avec sa tête, ou avec son cœur, on l'écoute avec son « ventre ». Nous ne sommes pas seulement dans le sentiment ou dans l'émotion, mais nous portons la souffrance de l'autre pour que soit « engendré » du sens.

M. d. H. – Porter l'autre, c'est aussi faire confiance à ce qui, en lui, est capable de porter cette souffrance. Le mot « pitié », dans le sens déformé de l'usage moderne, comme vient de nous l'expliquer Jean-Yves Leloup, véhicule encore l'idée que l'autre n'a pas en lui la capacité de faire face et de porter ce qui lui arrive.

– On évoque fréquemment la difficulté à vivre le « temps du mourir » pour la famille, les accompagnants ou le malade lui-même. Le facteur temps se traduit alors en termes de patience. Cette patience peut-elle être facilitée par l'état de confiance ?

M. d. H. – Cette notion de patience doit être reliée au respect du temps de l'agonie, du rythme propre à chacun. Si l'on pense vraiment que l'approche de la mort est un véritable travail, un travail intérieur, qu'il faut lui donner son temps, cela aide sans doute à être dans la patience. Et ce travail intérieur continue même dans le coma.

Il est vrai que ce temps est très pénible pour l'entourage mais il doit néanmoins être respecté parce qu'il est essentiel pour celle ou celui qui le vit. Je pense à cet homme qui était depuis trois mois dans le coma – coma naturel, non induit médicalement... La famille commençait à s'impatienter, personne ne comprenait une telle situation. Nous avons découvert que cet homme avait une fille de quatorze ans, d'un premier mariage, et que la mère empêchait la jeune fille de venir voir son père de crainte de la perturber. Apprenant cela nous avons réussi à persuader la mère de laisser venir l'adolescente. Elle a pu alors passer un après-midi près de son père, lui parlant, participant aux soins avec l'aide soignante. Et il est mort dans la nuit qui suivit... Il est clair que c'est vraiment cela qu'il attendait. Il faut donc absolument respecter ce temps-là, car ce temps a un sens.

J.-Y. L. – Le temps de la patience est un temps particulier, celui de l'entre-deux : entre le temps des vivants avec son rythme rapide, et le temps de l'éternel, du non-temps.

Sur un lit d'hôpital, la maladie nous met vraiment dans ce temps-là ; un temps où l'on a tout ce qu'il faut pour affronter l'épreuve du moment présent, mais rien pour affronter ce qui vient après. Il ne s'agit plus seulement de donner du temps au temps, mais plutôt de donner de la patience au temps, de l'ouverture au temps.

– *À défaut de pouvoir apprendre à mourir, a-t-on à apprendre à vivre pleinement le temps présent, et même l'instant présent ?*

J.-Y. L. – Oui, nous devons passer du temps *chronos* qui nous dévore (le temps des horloges) au temps *kaïros* qui nous éveille (l'instant, l'instant propice). Nous n'avons plus le temps de « devenir », mais nous avons le temps d'Être, dans l'intensité de l'instant. Nous n'avons plus de temps mais nous avons des instants... à vivre ; des instants favorables, des *kaïros*.

M. d. H. – On observe que ceux qui vivent trop dans le passé ou dans l'avenir ne sont pas en paix. C'est un facteur d'angoisse. Le retour sur le passé entraîne de la nostalgie, le regret de ce que l'on n'a pas fait, pas vécu, et la projection dans l'avenir est évidemment source d'angoisse puisque la personne sent bien qu'elle n'a plus d'avenir. Au fond d'elle-même, elle sent bien que la seule issue est de vivre le présent. C'est quelque chose qui se conquiert, vers lequel on va presque forcé, puisque c'est la seule issue.

Le rétrécissement de l'univers du mourant, l'absence de sollicitations, de stimulations (être dans un lit depuis des mois dans la même chambre, avoir toujours le même horizon...) ne sont finalement tolérables qu'en vivant pleinement ce qui se présente dans l'instant.

Un exemple frappant est celui de Jean-Dominique Bauby lorsqu'il était enfermé dans son « scaphandre [1] ». Nous sentons bien que malgré tout son humour l'évocation du passé l'entraîne dans un chagrin et une nostalgie de ce qu'il a perdu. Il ne peut pas pour autant se projeter dans l'avenir car il

---

1. Cf. Jean-Dominique Bauby, *Le Scaphandre et le papillon*, Robert Laffont, 1997.

est suffisamment lucide pour ne pas le faire. Il est alors extraordinairement dans l'instant présent, un être de perceptions, de sensations, bien qu'il soit totalement paralysé. Toutes les petites choses du quotidien sont habitées d'une intensité et d'une présence inouïes.

En fait je crois que lorsqu'on s'approche de ses derniers instants on devient contemplatif.

— Si cette capacité à vivre l'instant présent semble être essentielle pour le mourant, la famille ou les accompagnants ont eux aussi à accomplir ce travail. Est-ce plus difficile pour eux ?

M. d. H. — C'est bien sûr très difficile pour l'entourage, car celui-ci ne vit pas dans le même temps. Si le mourant, lui, se trouve dans un temps particulier, un temps suspendu, l'entourage, en revanche, vit un temps chronologique (avec un passé, un présent et un futur).

Un des obstacles à la communication avec quelqu'un qui va mourir est justement que nous ne soyons pas dans le même temps. Voici un exemple de ce décalage : souvent les soignants sont frustrés par le manque de temps qu'ils peuvent consacrer à un malade, alors que s'ils apprenaient davantage à vivre ce *kaïros*, c'est-à-dire à être vraiment là avec l'autre durant le peu de temps dont ils disposent, ils seraient alors en coïncidence avec le temps du malade et ne ressentiraient plus ce sentiment de frustration.

J.-Y. L. – Le présent est quelque chose de très physique. C'est un long voyage pour y arriver, et quelquefois notre corps est ce « pays où l'on n'arrive jamais ». Mais d'une certaine façon la proximité de la mort nous oblige à être là, dans notre corps. Toute la question est : « Comment être absolument "là", sans être enfermé dans ce "là" ? »

– Est-ce que cette présence, là, dans l'instant, est quelque chose qui peut aider à lâcher prise ?

M. d. H. – Je me souviens d'une femme qui traversait une crise d'angoisse profonde. Elle s'accrochait à moi, et j'aurais pu être emportée dans le tourbillon de cette angoisse. Jamais je n'ai senti de façon aussi évidente à quel point la présence (présence calme, ouverte, contenante) avait des vertus apaisantes. Je sentais très concrètement que ma présence l'entourait comme une sorte de peau protectrice, et empêchait que l'angoisse ne déborde. Au bout d'un moment, elle s'est endormie. Je suis restée là, veillant sur elle comme une mère aurait veillé un nourrisson endormi, puis elle s'est réveillée et m'a raconté le rêve qu'elle venait de faire. Il faisait nuit, elle se trouvait dans un bateau secoué sur une mer sombre et agitée, mais le bateau était solide et la portait, et, malgré la tempête, elle se sentait en sécurité. Ce rêve était une belle façon d'illustrer ce qui se passe dans l'accompagnement. Nous ne pouvons pas empêcher l'angoisse de l'autre, mais nous pouvons la contenir, et transmettre un sentiment d'être malgré tout porté. Ce qui permet peut-être de lâcher prise.

J.-Y. L. – En ce qui me concerne, je pense souvent au cadeau que l'on peut faire à quelqu'un en s'asseyant à ses côtés silencieusement avec une respiration calme. Mais il est important aussi de dire une parole qui permette à la personne de ne pas s'identifier à la somme de ses actes passés, une parole de pardon. La parole que personnellement j'aimerais bien entendre le jour de ma mort est celle de la première épître de saint Jean que j'ai déjà citée : « Si ton cœur te condamne, Dieu est plus grand que ton cœur. » Le drame de l'homme contemporain, comme le rappelle Paul Ricœur, c'est « qu'il n'a pas de conscience plus grande que sa propre conscience ». Qui n'aimerait entendre une parole qui lui rappelle : « Si ton cœur te condamne, si ta conscience te condamne, si ta souffrance te condamne, si ton diagnostic te condamne, il y a en toi plus grand que toi, plus aimant que toi ; il y a en toi une réalité qui te pardonne. »

– En pratique, comment la compassion peut-elle être vécue dans le quotidien des soins, comment faire pour ne pas se laisser emporter par la souffrance de l'autre ?

M. d. H. – Cette question de comment être dans la compassion sans se laisser emporter par la souffrance de l'autre soulève la question de ce que nous appelons la « distance juste ». Ni trop près, ni trop loin. Comment rester présent sans s'identifier à la souffrance de l'autre, ou se sentir happé par elle, ou sans construire des barrières défensives qui empêchent la rencontre et appauvrissent la relation ?

On peut être très proche de celui qui souffre, dans une ouverture, une résonance intime, et cependant garder une distance juste. Celle-ci est alors une distance intérieure vis-à-vis de nos propres affects, une distance entre moi et moi, et non pas une distance entre moi et l'autre. Je m'explique : il ne s'agit pas tant d'une technique mais d'un travail intérieur. Dans la mesure où nous n'avons pas peur de fréquenter nos moments de deuil, de rupture, de crise, dans la mesure où nous travaillons à l'intérieur de nous cette question de la perte, nous devenons peut-être plus sage et plus confiant dans l'impermanence de la vie. Nous apprenons à entrer dans le silence et le calme intérieurs, dans ce lieu profond où l'on peut laisser passer les peurs, les émotions, ce lieu de paix qui existe aussi chez l'autre, bien qu'obscurci en cet instant.

Alors nous pouvons rester proche de celui qui est plongé au cœur de sa détresse, sans plonger avec lui, confiant dans le mouvement même des choses qui lui fera traverser sa propre nuit.

Cela souligne une fois de plus la nécessité d'un travail personnel avant de s'engager dans l'accompagnement. Et il est sûr que tant que les médecins, les soignants et tous ceux qui peuvent être amenés à accompagner un être cher n'auront pas amorcé ce travail qui consiste à fréquenter ses propres peurs et ses propres blessures, à les regarder honnêtement, à oser les partager, à sentir aussi comment ils peuvent évoluer à travers elles, ils n'auront pas d'autre choix que d'établir des stratégies défensives face au mourant. On peut le comprendre, il en va de leur survie psychique ! Mais ces stratégies ne sont que des échafaudages. On finit par s'user à les renforcer constamment, surtout quand on a conscience de l'appauvrissement tragique qu'elles entraînent sur le plan de la relation humaine.

– Quelle que soit la tradition évoquée, bouddhisme ou judéo-christianisme, la compassion est omniprésente. Et l'on voit à quel point il est important, pour être dans la compassion, de ne pas se laisser « emporter » par la souffrance de l'autre.

Existe-t-il, dans les différentes traditions, un rituel particulier pour aider l'accompagnant à trouver cet équilibre ?

J.-Y. L. – Bien sûr, chaque tradition a son rituel. Mais ce qui est intéressant dans les traditions orientales, c'est qu'elles ont élaboré des pratiques qui permettent de se centrer, d'être bien dans sa base. Comment « être avec » sans confusion ? Comment avoir la bonne distance ? Comment n'être ni confondu ni séparé ? C'est le souffle qui peut nous y aider. Et plus particulièrement l'attention à son propre souffle. Le souffle n'est-il pas ce qui nous relie les uns aux autres sans nous confondre ? Un bon exemple d'une pratique qui permette d'être dans la compassion, sans se laisser emporter par la souffrance de l'autre, c'est la pratique bouddhiste de *Tonglen*.

Autour de la personne qui souffre, on sait à quel point il est important de ne pas ajouter de nuisance. De nuisance non seulement par ses bruits ou par ses émotions, mais aussi par ses propres pensées. Comment alors accueillir la souffrance de l'autre sans peur, non pas pour la garder et s'y complaire, mais pour la transformer ? Comment porter quelque chose du fardeau que l'autre est en train de vivre, et lui communiquer un peu de paix et de compassion ? Le mot *Tonglen* signifie donner et recevoir. Ce mouvement d'accueil et de don se fait dans une présence à son propre souffle.

– Pourriez-vous nous dire en quoi consiste cette pratique ?

J.-Y. L. – C'est une pratique liée au souffle. Il me faut d'abord déposer mes peurs, mes tensions, mes paquets de fatigue. Puis, dans l'inspir, accueillir la souffrance de l'autre. Dans l'expir, je ne garde pas cette souffrance qui ne m'appartient pas, je la remets, je la confie en quelque sorte à plus grand que moi. Puis j'inspire à nouveau lumière, force et paix pour l'orienter vers le malade que j'accompagne. Il s'opère alors une transfusion de sérénité. Mais cette sérénité n'appartient pas à celui qui la donne. Elle passe à travers lui, et vient de celui ou de ceux qu'il invoque auprès de la personne mourante. On pourrait dire qu'à ce moment-là l'accompagnateur est lui-même accompagné. Pour cela il peut visualiser, ce qu'on appellera dans le contexte bouddhiste, une divinité, une représentation bienveillante.

M. d. H. – C'est ce que font aussi des chrétiens chaque fois qu'ils prient, ou invoquent l'aide d'un saint, de la Vierge Marie, ou de leur ange gardien. Ou quand ils font appel à la communion des saints, qui est une sorte de solidarité invisible.

J.-Y. L. – Il s'agit, en effet, d'appeler les grandes images, les grands archétypes qui ont pu habiter l'inconscient spirituel du malade. Mais ce n'est pas non plus forcément nécessaire. Ce qui est essentiel, c'est de ne pas rajouter sa souffrance personnelle à celle de la personne mourante. Il s'agit, comme le dit Françoise Dolto, d'être sans angoisse devant l'angoisse de l'autre... Mais ce don-là suppose que celui qui accompagne soit en paix avec ses propres angoisses. Personnellement j'aime beaucoup cette expression de « transfusion de sérénité ». Cette pratique est un véritable pacifiant. Elle calme la pensée, et le seul fait de respirer calmement à côté de quelqu'un qui souffre peut l'aider considérablement. Cela passe de souffle à souffle, de cœur à cœur, d'inconscient à inconscient. Il s'agit beaucoup plus d'une qualité d'être que d'une compétence particulière.

D'ailleurs il faut savoir qu'elle n'est pas toujours offerte par la personne qui accompagne ; c'est parfois celui qui est en train de mourir qui nous la donne. Beaucoup de mourants ont une délicatesse à notre égard que l'on n'imagine pas. Non seulement ils ne veulent pas nous montrer leur souffrance, pour ne pas nous faire souffrir, mais ils nous aident.

7.

Réincarnation,
résurrection ou réanimation ?

Espérances et confusions

– La plupart des Occidentaux sont très attirés par la notion de karma et de réincarnation. Qu'en est-il en Orient et en Occident ?

Jean-Yves Leloup – Si beaucoup d'Occidentaux son attirés par la notion de réincarnation, pour un Oriental, c'est vraiment quelque chose qui lui fait peur. Un vieux sage disait à quelques Occidentaux très préoccupés de retrouver leurs vies passées ou de découvrir leurs vies futures : « Vous voulez connaître vos vies passées ? Regardez le moment présent, car le moment présent est le résultat, la conséquence, de vos vies antérieures ; vous voulez connaître vos vies futures ? Regardez le moment présent, car le moment présent est la cause de ce qui viendra après. Travaillez sur l'instant présent. »

Nous sommes au cœur de la définition même du karma, qui est l'enchaînement des causes et des effets. Selon les actes accomplis, les conséquences seront néfastes ou positives. Si, par exemple, nous posons des actes positifs dans cette vie, ils auront des conséquences positives, déjà dans cette vie, mais également dans ce qui peut perdurer de l'être humain.

Nous sentons bien que, derrière la question de la réincarnation, une autre question hante l'homme depuis le début de l'humanité : celle de la justice. Pourquoi les crapules, les méchants prospèrent-ils, quand les justes et les saints sont malheureux ?

Cette notion de réincarnation, de karma, d'enchaînement des causes et des effets est, à un certain niveau de pensée, l'effort produit par l'humanité pour donner du sens à ce qui lui arrive, notamment aux événements les plus absurdes.

En Inde, on dira que la croyance en la réincarnation est une croyance populaire, un *upaya*, « moyen habile » d'expliquer, de donner du sens à la souffrance qui nous arrive, comme, en même temps, d'en être responsable. Cette notion rend l'homme responsable de ses actes, et peut ainsi l'aider à évoluer.

Il ne s'agit donc pas de rejeter cette croyance a priori, mais plutôt de la considérer comme une étape dans une maturation, dans une réflexion de la pensée, dans cet effort pour donner un sens aux événements de notre vie.

– Et la Résurrection ?

J.-Y. L. – Dans la tradition de l'Inde, la distinction est bien nette entre les mots « réincarnation » et « résurrection ».

Pour un hindou, particulièrement pour un sage, le but ultime est bien la résurrection. D'ailleurs, en sanskrit, les deux mots sont distincts.

Il y a *punar janmam*, c'est-à-dire « celui qui est de retour », celui qui n'a pas achevé son cycle, qui a encore des attachements à la matière, à l'espace-temps, qui n'est pas entré dans la pure lumière, qui ne s'est pas uni au Soi ; et *Dvija*, celui qui est deux fois né, qui est né de nouveau, né d'en haut. Nous retrouvons ici l'expression évangélique *anothen* : « naître d'en haut ».

Il est donc essentiel, dans la tradition hindoue comme dans la tradition chrétienne, de ressusciter avant de mourir !

Il ne s'agit pas de ressusciter après la mort... Jésus, lui-même, était ressuscité « avant » de mourir. Le terme évangélique de « vie éternelle » l'explique bien : s'il y a vie éternelle, elle l'est avant, pendant, et après ! La vie éternelle est la dimension d'éternité qui habite le cœur même de notre vie mortelle.

Toujours dans la tradition de l'Inde, il est noté qu'il existe des êtres qui vivent encore dans le monde de la réincarnation (la « réin-karmation ») quand d'autres se sont déjà éveillés à cette dimension d'eux-mêmes que l'on peut appeler la « vie éternelle », le non-temporel. Ceux-là sont déjà ressuscités.

Réincarnation et résurrection sont deux mots différents, et, s'il est vrai que la tradition chrétienne insiste davantage sur la notion de résurrection, il ne faudrait toutefois pas interpréter ce mot « résurrection » comme une réanimation !

Lazare, par exemple, n'est pas ressuscité, il est réanimé...

À ce niveau, je dirai que la science contemporaine fait aussi bien que Jésus, elle « réanime » beaucoup de personnes. Cependant, pour de nombreux chrétiens une certaine confusion persiste. Confusion qui les conduit à faire du Christ une sorte de zombie, c'est-à-dire quelqu'un qui aurait été enterré, dont l'information, après l'avoir quitté, réanime de nouveau son corps, puis ce corps sort du tombeau, et hante différents lieux, provoquant un certain nombre de paniques ou d'émerveillements ! Or le Christ n'est pas réanimé, il est ressuscité !

Il est monté dans une certaine « longueur d'onde » particulière, il est passé de la vitesse de la matière à la vitesse de la lumière, et cette lumière peut alors se condenser afin d'animer une autre matière dans le but de se rendre présente. Se rendre présente aux pèlerins d'Emmaüs, à Myriam de Magdala, etc.

Cette « longueur d'onde » a la capacité d'entrer en communication avec des personnes qui sont encore dans la matière.

Je n'invente rien, je ne fais que citer saint Paul dans la première épître aux Corinthiens (XV v. 35) quand il répond a cette question : « Avec quel corps ressuscitent les morts ? – Insensé, comprends qu'il y a différentes sortes de corps. Autre est le corps terrestre, autre est le corps céleste... »

Nous sommes semés corps psychique (Paul emploie le mot de « psyché » pour le corps psychosomatique, corps composé qui va être décomposé, qui va devenir un cadavre) mais nous ressuscitons corps spirituel, « pneumatique », corps de Souffle.

Il est essentiel, lorsqu'on parle d'un corps, de préciser qu'un corps est une âme vivante, une âme incarnée. Un corps qui ne serait pas une âme incarnée ne serait qu'un cadavre. Paul nous dit que nous sommes d'abord cette matière animée, mais que cette matière animée est appelée à devenir « pneumatique ».

Le premier homme est psychique, issu du sol, terrestre, et le second, lui, vient du ciel – il naît d'en haut –, il est ressuscité. Si la résurrection est vraie, elle est vraie aussi pour un hindou, pour un chrétien ou un athée. Ce qui est vrai est vrai pour tout être humain.

Ces textes nous disent que non seulement l'homme est un composé de matière, de psychisme, un composé de mémoires, qu'il a un code génétique et que tout cela sera décomposé, mais qu'il y a aussi en lui un Souffle qui l'anime, qui l'habite ; et que même au moment où ce Souffle se retire il est capable d'animer un autre type de matière qui échappe, elle, aux lois de notre pesanteur. Voilà pourquoi le Christ, dans son corps ressuscité, peut passer à travers les murs.

Nous pourrions citer l'exemple de Thomas qui voulut toucher les plaies de Jésus. Jésus invite Thomas à constater que ce qu'Il a incarné dans son corps physique perdure après que ce corps physique est enterré. Mais si nous lisons de près le texte, malgré l'invitation... Thomas n'a pas touché les plaies !

Jésus dira aussi à Marie-Madeleine : « Ne me retiens pas. » Car si elle cherche à le retenir dans la forme physique dans laquelle elle l'a connu, elle risque de passer à côté de la dimension pneumatique qu'il a aussi incarnée[1].

Beaucoup de chrétiens ne croient pas à la résurrection. Par contre, ils croient à la réanimation du Christ. Je ne vois pas l'intérêt de croire à un « zombie ».

Ils passent à côté de cette possibilité qui leur est offerte de s'éveiller, dès cette vie, dans leur corps mortel, dans leur corps psychique, à leur corps pneumatique. De s'éveiller à ce Souffle mystérieux qui nous est donné à chaque inspir, et que l'on redonne à chaque expir.

Il y a un insaisissable en nous, d'où nous vient la vie et où retourne la vie, et nous sommes appelés à faire cette expérience.

Réincarnation, réanimation, résurrection..., ce sont des mots qui sont devenus, aujourd'hui, source de confusion.

Dans tous les cas, nous pouvons dire que dans le christianisme, comme dans l'hindouisme ou le

---

1. Cf. L'Évangile copte du IIᵉ siècle, attribué à Myriam de Magdala. Traduit et commenté par Jean-Yves Leloup, édition Albin Michel, 1977.

bouddhisme, l'objectif n'est pas la réincarnation, mais la résurrection.

Toutefois, tant que nous n'avons pas fait l'expérience spirituelle du « pneuma », nous demeurons dans le monde de l'espace-temps ; et comme le disait René Guénon à ce moment-là nous voulons prolonger notre illusion, dans le temps, dans les vies passées et dans les vies futures.

Dans la tradition bouddhiste, on parle de vérité relative et de vérité absolue. La réincarnation fait partie des vérités relatives, c'est-à-dire des réalités explicatives, alors que la résurrection fait partie de la réalité absolue.

Mais il est vrai que c'est une notion difficile à aborder, tant que l'on n'est pas soi-même entré au cœur de notre corps psychosomatique, dans ce corps pneumatique.

Marie de Hennezel – Ce que vous dites là me paraît essentiel. Si le mouvement des soins palliatifs et de l'accompagnement attache tant d'importance à ce que la personne reste un « vivant » jusqu'au bout, c'est bien parce qu'il pressent – tous ne savent peut-être pas que ce pressentiment s'enracine dans une intuition millénaire – que la vraie mort serait dans cette identification passive avec la biologie. L'au-delà n'est pas à chercher dans un au-delà du temps, mais dans un au-dedans, dans une transformation, une transmutation du « moi » qui ne peut se vivre que dans une radicale intériorisation, comme le dit Maurice Zundel [1]. C'est en nous transformant, en nous décollant de nos dépendances, que nous pouvons « créer notre vrai corps ».

– Pouvez-vous éclairer un peu plus ce que vous entendez par « expérience pneumatique » ?

J.-Y. L. – Je pars d'une expérience que j'ai faite il y a quelques années et qui m'a en quelque sorte « ouvert ». Il s'agit d'une expérience de « mort clinique » [2]. Cette expérience m'a permis de ne plus m'identifier à mon corps psychosomatique. J'ai pris conscience que j'étais ce corps psychosomatique, qui subissait un certain nombre d'enchaînements

---

1. « C'est évidemment à partir de là que le problème de la mort à la fois se pose et se résout. Rien n'est plus étonnant, cependant, que ce fait : que l'immense majorité des hommes ne remettent pas en question leur moi. Ils prennent leur moi pour argent comptant. Ils ont dit "je" et "moi" depuis l'âge de deux ou trois ans avant d'avoir rien choisi, et c'est toujours sur ce « je » et ce « moi » préfabriqués qu'ils posent les fondations de leur vie. C'est toujours autour de ce "moi" infantile que se nouent leurs revendications et ils défendent avec le bec et l'ongle un "moi" qui leur est tombé dessus, dont ils ne sont nullement les auteurs et qui est au contraire la limite de leur croissance et l'obstacle essentiel à la constitution de leur personnalité. C'est précisément à partir d'une refonte radicale de ce moi-objet que doivent s'accomplir la transfiguration et la transmutation qui nous arrachent à la mort et préludent à notre résurrection », Maurice Zundel, *À l'écoute du silence, op. cit.*

2. Cf. *L'Absurde et la grâce*, Jean-Yves Leloup, Albin Michel, 1991.

128

de causes et d'effets, mais il y avait en moi quelque chose qui échappait à cette loi de la cause et de l'effet et que saint Paul appelle « corps pneumatique ». Les traditions de l'Inde, elles, parlent de « nouvelle naissance ».

Je pense à cette belle parole de Ramana Maharshi à qui l'on posait la question : « Où allez-vous après votre mort ? » Alors que nous espérions une information sur les vies après la mort, il répondit simplement : « Après ma mort je vais là où j'ai toujours été. Je vais là où je suis. »

Mais nous sommes des êtres psychiques, avec un cerveau qui fonctionne en binaire, un cerveau qui ne comprend que les lois de la cause et de l'effet, et pour beaucoup de contemporains la réincarnation est le type même d'explication qui, devant les injustices et la souffrance, peut les satisfaire et les apaiser.

Il ne s'agit donc pas d'être pour ou contre la réincarnation, ou bien même pour la résurrection, et contre la réincarnation, mais de comprendre que dans notre évolution, dans notre façon de justifier ce qui nous arrive, si nous avons des explications de type psychique – l'explication par la réincarnation nous rassure –, nous pouvons également vivre des expériences qui nous ouvrent le cœur, qui ouvrent notre intelligence à une autre dimension et nous mettent sur une autre fréquence. Dès lors toutes les explications par la réincarnation tombent, car elles ne sont plus utiles. On comprend mieux que Guénon, à la suite des grandes traditions, puisse dire que ces explications par la réincarnation fassent partie des vérités relatives et non de la vérité absolue.

Cependant, puisque nous sommes dans le relatif, acceptons d'avoir des explications relatives, sans nous y enfermer, et surtout sans en faire des dogmes !

Certains Occidentaux (qui n'ont pas l'inconscient collectif des hindous ou des bouddhistes) font une sorte de dogme de la réincarnation. Ils passent alors à côté de l'esprit dans lequel ces doctrines furent élaborées, assez tardivement d'ailleurs [1].

– Cette « résurrection » fut donc possible grâce à une expérience de mort clinique. Est-ce le seul moyen ?

J.-Y. L. – J'espère que non ! Il ne faudrait surtout enfermer personne dans une expérience personnelle, mais pour le mécréant, l'homme désespéré que j'étais, cette ouverture de mon être psychique à une autre dimension est passée par cette expérience. Ce fut pour moi le commencement de ce qu'on pourrait appeler une recherche spirituelle. À partir de là je me suis rendu compte qu'il existait une autre réalité que la réalité spatio-temporelle. Si à mes yeux la méditation est si importante c'est que, lorsque je médite, j'essaie de retrouver un écho de

---

1. À ce propos, rappelons le beau livre d'Alain Daniélou, *La Fantaisie des dieux*, aux éditions Fayard, où nous dit que cette doctrine de la réincarnation est effectivement une doctrine tardive. Dans le védisme, dans les traditions anciennes, il n'en était pas question ; le but était bien *l'anastasis* : la naissance, au cœur de notre être terrestre, à notre dimension céleste, qu'on appellera la résurrection.

cet état connu pendant cette mort clinique, de retrouver cette « claire lumière ». Mais le mot « lumière » est lui-même une métaphore, car la lumière que nous connaissons est l'opposé de l'obscurité, alors qu'il s'agit là de quelque chose se situant bien au-delà du jour et de la nuit, au-delà des contraires, au-delà du binaire !

On ne peut d'ailleurs pas en parler, car, dès que notre cerveau parle, il parle en binaire !

Il n'est néanmoins absolument pas nécessaire d'arriver à de telles extrémités pour faire l'expérience de notre dimension « pneumatique » ou spirituelle. Il suffit d'être profondément humain. Peut-être faut-il simplement s'asseoir, mettre du calme dans ses pensées, ses émotions, dans son corps, et ouvrir notre être psychosomatique à cette dimension du « corps de gloire », du corps ressuscité qui est déjà en train de germer en chacun de nous. Ouvrir notre pesanteur à l'infiniment léger.

Le temps de la vie, le temps de notre corps physique est peut-être ce cocon où se prépare le papillon que nous sommes. Quelquefois nous percevons dans notre corps la « démangeaison des ailes »... Ce sont des moments de contemplation, de beauté. La chenille que nous sommes entend déjà palpiter le papillon que nous sommes aussi, et il arrive que l'on se sente à l'étroit dans ce corps, à l'étroit dans les mots, dans nos petites émotions, dans nos petits amours...

Comme je le raconte dans *L'Absurde et la grâce*, à un moment de mon expérience personnelle l'oiseau est comme sorti de sa cage, de cette forme qui lui faisait trop mal, qui l'emprisonnait, puis ensuite ce fut comme si le « vol » sortait de l'oiseau !

Quand j'évoque ce vol quittant l'oiseau, cela veut dire qu'il ne restait plus que l'espace, et sur cela je ne pouvais que me taire. Après, je pourrai à nouveau mettre des mots, je parlerai de lumière, etc. Mais c'est que, déjà, le vol est revenu dans l'oiseau, et que l'oiseau est de nouveau dans sa cage...

Là, il raconte. Il raconte ce qui est indicible... !

M. d. H. – Vous employez très souvent le mot « sentir ». Personnellement je crois qu'il n'est pas du tout nécessaire de faire l'expérience d'une mort imminente ou d'une mort clinique pour « sentir » que nous ne nous identifions pas à notre futur cadavre, mais que nous sommes en fait une « corporalité animée [1] ». Nous sommes cette âme vivante, cette matière animée, ce corps pneumatique, et c'est quelque chose que nous pouvons apprendre à découvrir en développant nos facultés de perception. Il est surprenant de voir à quel point, dans le monde d'aujourd'hui, nous avons perdu cette faculté de « sentir ».

Cette faculté, qui pourtant existe chez chacun, semble complètement atrophiée, sous-développée, chez la plupart d'entre nous. Nous vivons donc notre corps comme un corps que nous possédons – une chose en quelque sorte – mais nous ne

1. Le terme est emprunté à Frans Veldman, *L'Haptonomie*, science de l'affectivité, *op. cit.*

« sommes » pas ce corps. Nous ne l'habitons pas vraiment.

Sommes-nous identifiés au futur cadavre, ou notre corps est-il ce « clavier de l'esprit » dont parle Maurice Zundel, capable de manifester ce que nous sommes, d'exprimer ce qui l'anime, capable de se sentir traversé par le courant de la vie intérieure ? C'est en transformant notre « corps objet » en « corporalité animée » que nous humanisons notre corps, que nous faisons de notre vivant l'expérience de cette liberté intérieure d'un corps ouvert, spatial, corps de lumière pour les uns, corps essentialisé pour les autres.

Les mourants sont peut-être plus sensibles que jamais à cette transformation. On sait à quel point leurs perceptions spatio-temporelles se modifient ; combien ils sentent tout : l'angoisse, les états d'âme de ceux qui les approchent. Certains lisent dans vos pensées ou voient autour d'eux ce qui est invisible à nos yeux.

J.-Y. L. – C'est ce qu'on appelle, dans le christianisme, l'éveil des « sens spirituels ». Par exemple, Origène comme Syméon le nouveau théologien nous rappellent que, si nous avons un corps que nous pouvons utiliser avec nos sens « grossiers », en nous vivent également des sens spirituels qu'il s'agit d'éveiller.

Je pense aussi aux tapisseries de la *Dame à la licorne*, où sont représentés les cinq sens ; tapisserie que Rilke allait souvent visiter. Le poète y éveillait ses sens spirituels, ce que nous pourrions appeler aussi son « corps de gloire ». En hébreu, le corps de gloire, c'est *kavod* : le corps habité, le corps habité par la présence. La gloire, c'est le poids de la présence. C'est pour cela que, lorsque le mourant arrive enfin jusque dans son corps intérieur, ses sens spirituels s'éveillent, il peut alors entendre, voir, sentir... être dans sa « Présence » essentielle. Cet éveil des sens spirituels devrait faire partie de notre éducation, bien avant l'heure de mourir.

Notre peur de la mort est proportionnelle à notre peur de l'amour. Dans nos relations intimes entre homme et femme nous sommes trop souvent dans une relation de corps physiques (ce sont nos cadavres qui se rencontrent...), ou de corps psychiques (ce sont alors nos problèmes qui se rencontrent), sans nous offrir l'occasion de nous rencontrer dans nos corps pneumatiques. Cette nécessité dont nous parlons ici, dans le cadre de l'accompagnement des mourants, de dépasser son corps pour être soi, nous devrions aussi en profiter dans nos amours et dans nos rencontres quotidiennes.

M. d. H. – Le danger lorsque l'on parle de sens spirituels serait de croire que certains les possèdent et d'autres non. Tout être humain, dès sa naissance, possède ces facultés d'ouverture, de présence, de contact.

J.-Y. L. – Il est juste de préciser que cette capacité sensorielle fait partie des potentialités de tout être humain. Cela n'est pas de l'ordre de la grâce, telle qu'on l'entend habituellement, mais d'une simple grâce d'être ; la grâce d'être humain avec une sensorialité ouverte.

M. d. H. – Mais, pour ouvrir cette sensorialité, encore faut-il être en sécurité. Ce qui fait que finalement nous ne développons pas ces perceptions, c'est la peur ! Voyez ce qui se passe pour un nourrisson, qui n'est qu'ouverture. Il va refermer petit à petit ses capacités de sentir, de s'ouvrir, si la confiance qu'il témoigne n'est pas honorée. Cette ouverture est souvent trahie par le type d'approche des adultes. Alors, peu à peu il se méfiera et développera une sorte d'état de qui-vive. Nous avons tous une sorte de méfiance à l'égard du monde extérieur qui peut nous blesser, nous agresser. En fait, la clé pour retrouver cette faculté de sentir est bien la sécurité, la confiance. Être accepté comme la personne que l'on est. Dans l'accompagnement des personnes en fin de vie, cette acceptation de l'autre tel qu'il est, tel qu'il vit ce moment, est fondamentale.

8.

L'au-delà de la mort

Mythe moderne et traditions religieuses

– Dans les témoignages d'expériences de mort clinique, la plupart des gens disent « revenir » avec une nouvelle confiance, un réel sentiment de sécurité. En fait, ils n'ont plus peur... L'expérience de mort imminente ouvrirait-elle, entre autres, à un champ de perceptions tout à fait nouveau ?

Marie de Hennezel – Oui, car justement c'est une expérience. Il ne s'agit ni d'une pensée, ni d'un dogme, et les gens qui la rapportent en ont véritablement fait l'« expérience ». Quelle que soit la façon dont on interprète le sens de celle-ci, elle aura donc une valeur en elle-même, car elle aura été profondément ressentie. Les personnes « reviennent » apaisées, transformées, elles sont beaucoup plus près d'elles-mêmes, de l'essentiel, comme si elles avaient enfin découvert ce qui importe dans la vie. Elles ont justement perçu qu'elles ne s'identifiaient pas à leur corps physique qui, finalement, n'est qu'une enveloppe.

La métaphore de la chenille et du papillon, que nous devons à Elizabeth Kübler-Ross, va tout à fait dans ce sens. La véritable dimension de l'être n'est donc pas liée au corps physique, puisque souvent, durant ces expériences, les personnes voient leur corps à distance, et sentent pour autant qu'elles restent entières, intactes, en dehors de ce corps. En fait, elles ont une véritable perception sensorielle de leur « corps pneumatique ». Cette expérience est d'autant plus importante qu'elle aura des conséquences sur la manière de vivre ultérieurement. Chez la plupart d'entre elles, elle ôte toute peur de la mort en créant cet état de confiance qui permet alors d'être beaucoup plus dans la vie.

Cependant, n'oublions pas que certaines personnes peuvent avoir des « transitions » difficiles. Il faut tout de même accepter de revenir à l'intérieur des limites de ce corps physique, et parfois l'expérience est tellement belle, tellement forte – elle s'apparente en cela à l'expérience mystique – que revenir dans les limites de notre réalité peut être une expérience pénible, vécue comme un rétrécissement.

Cette expérience fonctionne maintenant comme une sorte de mythe moderne. Un mythe plus scientifique, moins traditionnel, vierge de toute connotation religieuse. On sent que ceux qui se sont éloignés des grandes traditions spirituelles s'y réfèrent volontiers.

Il m'est également arrivé, face à des personnes qui n'avaient pas de références traditionnelles et qui exprimaient un état d'angoisse face à l'inconnu de la mort, d'évoquer moi-même ces expériences de mort imminente et d'utiliser ce mythe moderne comme quelque chose pouvant permettre de se relier à une sorte de transcendance. C'est un mythe qui apaise. Peut-être d'ailleurs parce que dans les profondeurs de notre être nous savons que nous ne nous réduisons pas à ce futur cadavre. Notre inconscient semble le savoir, puisque, comme Freud le constate, il semble ignorer la mort !

Notre inconscient ne croit pas à la mort, pour lui elle est irreprésentable. Notons aussi que certaines expériences de mort imminente rejoignent parfois des expériences faites en rêve : nous pouvons rêver que nous sommes mort ; nous assistons alors à notre propre mort, et cela en spectateur. C'est à partir de ce constat que Freud écrit dans *Considérations sur la guerre et la mort :* « Dans notre inconscient, nous sommes conscients de notre immortalité. »

Il nous arrive tous de rêver que, bien que morts, nous ne sommes pas morts. Ces rêves ont une prégnance sensorielle telle qu'ils nous communiquent quelque chose de réel. D'ailleurs, les rêves que font les personnes qui vont mourir leur envoient souvent des messages concernant justement ce corps pneumatique.

Jean-Yves Leloup – Dans certains milieux, plutôt que de parler de corps pneumatique, nous pourrions parler d'un « corps de rêve ». Non du corps rêvé, ou fantasmé, mais véritablement d'un corps de rêve, car le rêve a une certaine qualité sensorielle, à la fois dans le corps et hors du corps.

M. d. H. – Georges Haldas a une belle expression, il parle de « corps intime ». Le corps intérieur, le corps intime... Ce corps perçu de l'intérieur, qui n'a rien de commun avec ce qu'on en voit...

J.-Y. L. – C'est ce qu'évoque saint Paul quand il dit *eso anthropon*, l'« homme intérieur ». Il parle également de l'« homme caché du cœur » qui est à l'image du Dieu caché, *Deus absconditus*. L'homme inconnu, l'homme secret...

Nous sommes dans le secret de notre humanité, et toute humanité, croyante ou non, porte en elle ce secret. Dans ce secret, nous retrouvons alors la confiance. Le paradis perdu, c'est la confiance perdue.

Pour ma part, cette expérience de mort clinique fut un retour à une confiance perdue depuis longtemps, sans doute dès ma naissance. C'est pour cela que parfois je dis, sous forme de boutade, qu'il est finalement important de mourir une fois dans sa vie... Par exemple, « depuis que je suis mort » je n'ai plus envie de me suicider ! Je suis toujours aussi désespéré, mais je n'ai plus envie de me suicider. Maintenant, quoi qu'il m'arrive, quoi qu'il se passe, la Vie est là, et cette Vie n'est pas moi. Mon « moi » continue de vivre différentes expériences, mais cette fois dans une confiance retrouvée, sans attentes. D'humains fixés dans leurs projets ou leurs regrets, nous pouvons devenir des humains ouverts à leurs secrets.

Il est vrai aussi (et nous en parlons beaucoup plus rarement) que les expériences de mort imminente ne sont pas toujours positives. Elles peuvent même être négatives. Cela existe, j'en ai eu différents témoignages... Ce qui me frappe alors, c'est que ces expériences contemporaines rejoignent les expériences rapportées dans les anciens *Ars moriendi*, que ce soient le *Bardo Thodol* tibétain ou les *Ars moriendi* chrétiens. On y parle d'une entrée dans un « monde intermédiaire » où des divinités bienveillantes comme des divinités courroucées peuvent être parfois rencontrées. Ces « divinités » ont bien quelque chose à voir avec notre inconscient, avec toutes les mémoires que nous avons pu intégrer en nous-même. Certains au cours d'une NDE ne vont pas jusqu'à la « claire lumière », jusqu'au pardon, jusqu'à la pure confiance, ils restent alors bloqués dans ce monde intermédiaire d'où ils reviennent terrorisés ! C'est d'ailleurs la terreur qui les fait revenir... Pour ces personnes-là un accompagnement spécial est nécessaire, qui leur permette d'accepter leurs limites, et le sens de leur expérience. Il faut les aider à comprendre que ce qui les attend n'est, en réalité, pas si terrifiant. Nous parlons trop rarement de ces NDE négatives...

M. d. H. – Mais, dans ce cas, avons-nous affaire à de véritables NDE, ou ne s'agirait-il pas plutôt de

143

remontées de l'Ombre ? De tout cet inconscient refoulé... ?

J.-Y. L. – C'est bien une remontée de l'Ombre, mais dans laquelle on reste comme coincé. Dans les témoignages que rapporte Raymond Moody, nous nous souvenons tous de l'histoire du tunnel, mais nous ne savons pas tous que l'on peut y rester coincé... Nous sommes bien dans une expérience de la mort imminente, mais malheureusement qui ne débouche pas dans ce qu'il appelle cette « grande lumière ».

De la même façon, il y a l'expérience de certains psychotiques qui ne sont ni dans le monde physique ni dans le monde spirituel, mais dans ce monde intermédiaire. Le rôle du thérapeute est à la fois de les ramener sur terre et de les ouvrir à une réelle dimension spirituelle.

Aujourd'hui une grande confusion est faite entre ce monde psychique intermédiaire et le monde spirituel. Parfois même certaines expériences qui ne sont que de l'ordre psychique intermédiaire sont prises pour des expériences spirituelles, alors qu'elles n'ont rien à voir avec l'Esprit. Nous sortons peut-être de ce monde physique, psychosomatique (et dans le psychosomatique j'intègre l'inconscient personnel et l'inconscient collectif) mais il s'agit de bien autre chose que d'une pure expérience spirituelle. C'est une remontée de l'Ombre personnelle et collective (et en même temps une remontée de certaines puissances se trouvant dans le monde des esprits intermédiaires) mais ce n'est pas le monde spirituel ! Ce monde intermédiaire a ses aspects positifs et négatifs : on y trouve de bons et de mauvais anges, des divinités bienveillantes ou courroucées, des ondes positives et des ondes négatives, etc. Chacun emploiera un langage particulier pour parler de ces réalités-là. Néanmoins, quelle que soit l'explication que l'on en donne, ce monde intermédiaire est toujours le monde de l'illusion. C'est un autre espace-temps, mais ce n'est pas le monde spirituel, pneumatique, ce n'est pas le monde de l'éternité.

Aujourd'hui certains veulent un peu trop nous vendre « quelques petites sorties hors du corps » qui ne sont que des expériences purement psychiques au « prix » d'expériences spirirituelles...

– Que l'on préfère le mythe moderne ou la tradition religieuse, retrouve-t-on aussi sûrement cette confiance perdue ?

J.-Y. L. – Ce que l'on découvre aujourd'hui est là depuis toujours. Il est donc normal que cette expérience soit encore d'actualité. Quand Plutarque dit qu'au moment de la mort toute personne rejoint l'état que connaissent les plus hauts initiés, c'est pour rappeler qu'au moment de la mort nous entrons dans une conscience non arrêtée par les concepts, par les représentations et les images. Ce qu'aura pu vivre (avant de mourir) celui se trouvant sur une voie d'intériorisation, au moment même de sa mort la personne non préparée pourra le vivre aussi.

Il n'y a pas d'autre Réalité que la Réalité, et cette Réalité peut heureusement être appréhendée avant de mourir.

Le rôle des grandes traditions spirituelles, occidentales ou orientales, est donc de rappeler à la personne dans ses moments de douleurs, d'identification à son corps, la dimension intime, intérieure de son être. Dans la lecture du *Bardo Thodol*, le lama dira : « Noble ami, ne crains pas... » Ne crains pas les remontées de ton inconscient. Ne t'arrête pas non plus dans des états savoureux... Il faut aller au-delà de ce qui nous fait peur comme de ce qui nous attire.

Il existe dans le *Bardo Thodol* des passages magnifiques pour aider à sortir de cette attraction et de cette répulsion. Il ne faut ni se laisser attirer ni se laisser effrayer, mais entrer dans la « claire lumière ».

Dans l'Évangile de saint Jean, on parlera de la Lumière *Phos* qui éclaire tout homme venant en ce monde. « Tout homme », cette expression affirme bien que cette Lumière n'est pas réservée aux seuls chrétiens... mais que tout homme est habité par elle.

Le moment de la mort est celui où notre conscience ne traduit plus en concepts, en images ou en sensations la pureté de cette Lumière. C'est alors une conscience non arrêtée...

Mais il est rare de connaître, de son vivant, cette conscience non arrêtée. Lorsque nous sommes conscient, nous sommes toujours conscient de quelque chose, alors qu'il s'agit là d'entrer dans une conscience qui n'ait plus « conscience » de quoi que ce soit, pas même de ces mondes intermédiaires ; il s'agit d'entrer dans une « pure conscience ». C'est la conscience qui s'éprouve elle-même. Le mot « lumière » est lui-même une métaphore, une icône de cette réalité. Certaines sensations subtiles ne sont que des échos, mais des échos possibles...

Pour revenir à votre question sur les NDE, cette expérience « sauvage » d'ouverture de la conscience à une conscience plus intime est un phénomène contemporain qui en fait nous rappelle ce qui a toujours été. Mais dès que « ce-qui-a-toujours-été » est fixé dans des mots, dans des concepts, il risque de se figer. Dès lors, au lieu de faciliter, de permettre cet accès à une conscience non arrêtée, certaines doctrines nous arrêtent encore plus. Parfois même, au lieu d'être un chemin, la religion peut devenir un obstacle, certaines doctrines peuvent penser à notre place, nous « catéchiser », nous mettre en état d'arrêt de pensée, en état d'arrestation !

Finalement, le grand privilège de la mort est de nous délivrer de toute doctrine. Je repense à ce que me disait le Dalaï Lama quand je lui demandais quelle était la meilleure religion, quelle était celle qui pouvait le mieux m'aider à mourir. Il me répondit : « La meilleure religion est celle qui peut te rendre meilleur. »

La meilleure pratique est celle qui nous ouvre le plus. Que l'on soit bouddhiste, chrétien, ou autre... encore une fois, il s'agit de devenir un peu plus humain !

9.

Le dernier temps du mourir : les six étapes de l'agonie

Analyse psychologique sous l'éclairage des traditions spirituelles

– Dans le « temps du mourir » se trouve un temps particulier : celui de l'agonie.

Existe-t-il dans les grands textes de l'humanité des écrits qui puissent nous aider à comprendre et à accompagner ce temps-là ?

Jean-Yves Leloup – Deux grands textes sacrés traitent de l'accompagnement de l'agonie. Il s'agit du *Bardo Thodol*, dont nous avons déjà parlé, et de l'*Ars moriendi* qui date, lui, de 1492. Ce dernier est moins connu que le texte bouddhiste, sans doute est-il trop proche et trop familier ! Il me semble intéressant néanmoins de l'évoquer ici, car il nous éclaire sur cet ultime combat qu'est l'agonie.

Du point de vue de l'observateur, l'agonie semble être une lutte douloureuse, marquée par le refus de mourir, une tentative désespérée de s'accrocher à la vie qui s'en va. Rares sont les personnes qui la vivent sereinement sans être d'abord passées par toutes sortes d'états d'âme. D'un point de vue psychologique, on parle de retour du

151

refoulé, de remontées de l'inconscient. Dans le texte moyenâgeux de l'*Ars moriendi*, le mot *agonia* est aussi accompagné du mot *peirasmos*, qui signifie la tentation, ou plus exactement l'épreuve. L'agonie est donc aussi un moment d'épreuve, de tentation, et l'homme est éprouvé à différents niveaux.

L'*Ars moriendi* signale plusieurs épreuves à traverser. Ce texte peut nous aider à nous préparer à mourir comme nous aider à accompagner un mourant en comprenant l'épreuve qu'il est en train de vivre, mais il peut également nous rappeler que nous-mêmes vivons ces épreuves-là: ces *peirasmos*, ces tentations, qui nous remettent en question dans les différents éléments de notre composé humain, de notre foi, de notre espérance et de notre attachement... Tous ces éléments constitutifs de notre vie humaine peuvent trouver dans ces écrits un nouvel éclairage.

Ce que nous dirions être un combat entre le Moi et le Soi, entre le Moi qui s'identifie à son corps, à ses mémoires, et le Soi qui est la présence de ce Souffle intime qui nous emporte au-delà de nous-même est ici décrit dans le langage symbolique de l'époque comme un combat entre notre ange de lumière et notre ange des ténèbres. Notons qu'on retrouve là ce que le *Bardo Thodol* nomme divinités courroucées et divinités bienveillantes! De même que les étapes du processus du mourir décrit par Elizabeth Kübler-Ross ne se suivent pas nécessairement les unes les autres, les épreuves de l'*Ars moriendi* peuvent être éprouvées dans un ordre différent. Nous verrons d'ailleurs plus tard quelles correspondances on peut établir entre cet art de mourir du Moyen Âge et le processus contemporain décrit par Kübler-Ross.

– Quelles sont ces différentes épreuves ?

J.-Y. L. – La première est le DOUTE.

Le doute qui remet complètement en question le labeur de notre existence, tout l'amour qu'on a pu donner, et qui se traduit par des « À quoi bon... », « À quoi cela a-t-il servi ? », « Tout cela n'a pas de sens... ». Le doute qui assaille celui qui se persuade qu'il se raconte des histoires. « Il n'y a rien d'autre..., je ne suis qu'un être mortel, qu'un être composé qui va bientôt se décomposer..., tout ce que les prêtres, les pasteurs ou les personnels soignants peuvent me dire, les livres que j'ai pu lire sur la vie après la mort..., tout cela est faux ! »

Le mourant est presque physiquement habité par ce doute ; c'est une nuit profonde de l'esprit, du cœur et du corps qui se ferment et ne veulent plus rien entendre. Ils ne veulent plus entendre parler de la lumière, pas plus que d'un espace possible, d'une ouverture possible... L'homme se rétrécit, s'enferme. Cet état est proprement « infernal », car l'enfer, c'est d'être « enfermé » dans son moi, enfermé dans un état de conscience particulier, dans la souffrance...

Dans le texte de l'*Ars moriendi*, ce doute se somatise même par un certain type de rictus, de ricanement. Auprès de certaines personnes, quand on veut leur dire une «bonne parole», une parole de bénédiction, on peut entendre cette espèce de ricanement qui donne parfois froid dans le dos. Quelque chose en nous «ricane», et le visage lui-même devient ce rictus et ce ricanement. Il s'agit d'une présence, d'un type d'esprit qui peut nous visiter dans ces moments-là, mais en face il y a l'autre ange, l'autre esprit. L'accompagnateur doit alors «collaborer» avec le bon ange.

Ce bon ange est celui de la foi, car, en face du doute, il s'agit de se tenir dans une posture de foi. En grec, la foi c'est la *pistis*; en hébreu, ce sera la même étymologie que le mot «amen», c'est-à-dire «j'adhère». J'adhère à ce qui est. Il s'agit donc, en face de celui qui vit les affres du doute, de rester confiant dans le réel qui porte l'autre, qu'on l'appelle le Souffle ou l'Esprit.

Il ne s'agit pas de s'identifier à celui qui va mourir, mais de s'identifier à ce Souffle, à cette vie qui continue, même si l'on n'a plus de corps pour la manifester, et d'y adhérer. Le mot «croire» signifie adhérer au réel, adhérer à ce qui est.

À cet instant de la mort, le réel n'est pas seulement le réel sensible, composé et fragile; c'est aussi cette grande Réalité qui a donné forme à ma vie, à mon corps, et m'a permis de vivre. Il s'agit d'orienter son regard, son intelligence, son cœur, dans cet acte d'adhésion à ce qui, en moi, est plus vivant que moi, d'adhérer vers ce qui, en moi, n'est pas mortel.

Voilà le premier combat, la première épreuve de l'agonie. Mais il n'est pas nécessaire d'attendre de mourir pour savoir qu'il y a des jours où ce genre d'épreuve nous déchire, nous fait mal, et que l'acte de foi est bien un acte de liberté. Car rien ni personne ne peut nous obliger à croire. Et lorsque nous sommes à côté de quelqu'un qui ricane, si nous sentons bien notre impuissance, nous sentons également l'importance d'être là comme témoin. Il faut permettre au mourant d'avoir des doutes, tout en étant soi-même ancré dans ce Souffle, dans cette paix, dans cette certitude : le Réel n'est pas seulement ce corps qui meurt.

Il n'empêche qu'il y a combat, un combat qui se lit sur le visage. On peut voir la personne grimacer, dire non, serrer les poings, et même nous repousser.

En tant que prêtre, je me souviens d'avoir parfois été reçu par le mourant (à qui le personnel soignant avait annoncé ma venue) par un : « Sortez, croque-mort ! » et toutes sortes d'insultes et de blasphèmes... Pour celle ou celui qui veut accompagner spirituellement l'autre qui souffre, il ne s'agit plus de plaire, d'être aimé, ni même attendu, mais d'accepter ce refus, ce combat que l'autre est en train de vivre, et de venir avec son « bon ange », pour mettre en face de cette puissance qui anime le mourant une autre puissance d'un autre ordre. Ce n'est pas simplement une croyance, c'est une expérience. Nous nous sentons alors comme investi d'une grande tranquillité face aux blasphèmes, face aux refus...

L'autre a le droit de fermer ses volets à la lumière ; il a le droit de douter... Parfois, après une lutte plus ou moins longue, quelque chose chez la personne mourante se détend, adhère à ce qui est, et, dans cette adhésion, elle adhère en elle-même à plus grand qu'elle-même.

Après cette première épreuve, cette première tentation que les Anciens ont pu observer, vient la deuxième : l'épreuve du DÉSESPOIR.

Ce n'est plus seulement le doute, mais le désespoir... Un désespoir où le malade pense : « Je n'y arriverai pas, jamais ; je n'aurai pas la force... » Ou pis encore (dans certains milieux religieux, chez certaines moniales, pasteurs ou prêtres) : « Je ne suis pas digne... », « Je suis damné ! ».

Il n'est pas rare de connaître quelqu'un qui, durant ses derniers instants, après avoir mené une vie de vertu, c'est-à-dire une vie d'honnêteté, d'attention à autrui, à soi-même et aux principes de l'existence, non seulement doute mais, plus, se croit damné, se croit coupé de cette force, de cette puissance qui l'a animé. Là, on désespère de soi et de Dieu. À cet instant, la personne est en danger, elle désire parfois se suicider. Elle se sent tellement perdue qu'elle peut gémir : « Perdu pour perdu..., débranchez-moi ! »

C'est un désespoir dont on imagine parfois difficilement les abîmes. En tant que témoin, il ne faut pas oublier que le désespoir est contagieux ; voir quelqu'un souffrir à ce point, se remettre en question comme remettre toute chose en question... peut ébranler celui qui accompagne. L'agonisant peut même se croire abandonné de Dieu: « Père, pourquoi m'as-Tu abandonné? » Dans ces moments-là, il s'agit de se souvenir que « Père, pourquoi m'as-Tu abandonné? » n'est que le début de la parole du Christ. En fait, nous ne perdons que la « sensation » d'être relié. Perdre la « sensation » d'être aimé ne veut pas dire que l'on n'est plus aimé, que Dieu, le Souffle, n'est plus présent!

Non seulement nous ne croyons plus en rien, mais de plus nous ne sentons plus rien... Nous sommes dans un état de privation sensorielle, de privation affective absolument terrifiante et, disons-le, infernale.

Il faut alors placer en face l'ange de l'espérance: espérer contre toute espérance, car nous sommes dans ce temps où, effectivement, il n'y a plus d'espoir. Et c'est bien quand on n'a plus d'espoir que commence l'espérance; c'est bien quand on n'a plus de béquilles, plus d'appui, qu'il faut s'appuyer sur son centre, sur son « Je » qui est un Autre. J'aime cette parole de Thérèse de Lisieux: « Je suis sans appui, et pourtant appuyée... »

Il ne s'agit pas uniquement d'une épreuve d'ordre psychologique, car, l'approche de la mort nous enlevant tous nos appuis, toutes nos références affectives, intellectuelles et bien sûr religieuses, la tentation vient alors nous chercher dans notre dimension spirituelle. Par conséquent, même si l'accompagnement psychologique de ces personnes est important, il n'est néanmoins pas suffisant.

Ce désespoir est bien plus qu'une dépression. Il y a une phase dépressive, mais aussi une phase complètement désespérée. «Je suis sans appui, et pourtant appuyée» veut dire : «Je n'ai aucun espoir, mais je ne suis pas sans espérance». L'appui n'est plus à l'extérieur : la personne qui nous veut du bien à côté, les bons religieux qui donnent de grands conseils ; tout cela est comme balayé, enlevé, et c'est un appui intérieur qui nous est redonné. «Se déshonore quiconque meurt escorté des espoirs qui l'ont fait vivre», dit Cioran.

Mais après le combat, après l'agonie, arrivent la paix et la confiance : le visage se détend dans l'attitude de celui qui fait connfiance à l'inconnu, et parfois même il est comme traversé par des éclairs de curiosité, intéressé. Mais il est vrai que cette curiosité et cette confiance sont passées à travers le désespoir, à travers le sentiment d'être abandonné, à travers une phase réellement et cliniquement dépressive, comme spirituellement désespérée.

Certaines personnes pensent : «Après tout ce que j'ai fait, il n'est pas possible que je sois bien accueilli de l'autre côté...» Pourtant : «Si ton cœur te condamne, Dieu est plus grand que ton cœur. »

La troisième épreuve qui habite une personne proche de la mort est celle de l'ATTACHEMENT. Chez les Anciens, on utilise le mot «avarice». Il peut sembler curieux d'être avare au moment de mourir, mais l'avarice est en fait l'appropriation de l'avoir. Ce n'est pas l'Être et l'Avoir qu'il faudrait opposer, mais plutôt l'Être et l'Avare. Être avare, c'est s'approprier la vie comme un avoir; un avoir que l'on veut garder, que l'on veut posséder.

Très concrètement, vous pouvez observer les mains du mourant qui s'accrochent à votre main ou aux draps. C'est tout le corps qui s'accroche à ce Souffle, à cette vie qui est en lui, comme s'il voulait la garder. Il y a d'incompréhensibles moments d'attachement à de toutes petites choses. Je peux vous rapporter l'exemple de cette personne qui, au moment de sa mort, non seulement faisait ses comptes, mais chaque jour me demandait de lui lire le cours de la Bourse. Il avait une sorte d'attachement à son compte en banque, à l'évolution de ses gains, qui était sa passion, son lieu d'identification : il valait son pesant d'or ! Et un jour, dans un instant d'énervement, je lui dis : « Comment se fait-il quand vous allez bientôt mourir que vous me demandiez de passer tant de temps à vous faire la lecture des cours de la Bourse ? Ne pourrais-je pas plutôt vous lire autre chose ? » Mais il ne voulait rien d'autre... Jusqu'au jour où je finis par lui avouer : « Je ne comprends rien à votre Bourse, et je n'ai pas envie de vous en lire un chiffre de plus ! »

Lorsque je revins le voir (avec un peu de culpabilité), je vis ses yeux brillants m'accueillir dans la chambre et il lança : « Champagne ! ».

Il m'avoua alors : « Finalement, vous avez raison, je suis idiot. Je vais bientôt mourir..., c'est le moment d'en profiter. » Et il offrit le champagne à tout l'hôpital. Le soir même, tout le monde eut droit sur son plateau-repas à une coupe de champagne. Je compris que cette personne qui n'était pas si avare que cela et qui, dans sa vie quotidienne, avait été capable d'inviter ses amis à un certain nombre de fêtes s'était d'un seul coup attaché, raccroché à son argent.

L'ange qui était venu se placer en face de l'avarice était l'ange de la générosité.

Chez les Anciens, l'avarice est considérée comme une grande maladie, car c'est ce qui empêche en nous le mouvement de la générosité, qui est la santé de l'âme et du cœur.

Il est beau de voir des personnes mourir dans la générosité. C'est la parole même du Christ : « Ma vie, on ne me la prend pas, c'est moi qui la donne... » À ceux-là, en effet, on ne peut rien prendre, puisque la seule chose qui ne nous sera pas enlevée, c'est ce que l'on a donné.

Quand nous parlons de mourir dans la générosité, nous rejoignons le *Bardo Thodol* (et nous voyons d'ailleurs à quel point, bien qu'appartenant à une autre tradition, il est proche des *Ars moriendi*). Il y est conseillé de profiter de ses derniers instants pour travailler à la libération et au bien-être de tous les êtres vivants. C'est-à-dire de faire de sa mort même un don.

Mais, bien sûr, cela suppose d'être passé à travers ce combat, à travers cette agonie, d'être passé à travers ce qui en nous s'accroche, s'agrippe, pour trouver ce qui en nous est néanmoins capable de don. L'accompagnant doit avoir cette patience, cette

160

intelligence, ce discernement qui permettra à la personne qu'il accompagne de vivre ces moments de rétraction, de fermeture, d'enfermement, d'avarice, afin que la générosité ne soit pas seulement un vain mot mais un acte d'ouverture du cœur, du corps et de l'intelligence à cette vie.

La quatrième épreuve, ou tentation, durant l'agonie est l'IMPATIENCE, la COLÈRE.

De nouveau, cela dure trop longtemps, et nous entendons: «Ça suffit, ça suffit, débranchez-moi...» La personne se met en colère contre son médecin, contre son infirmière, et même contre celle ou celui qui gentiment vient l'écouter, en les accueillant par des: «Ça ne sert à rien! De toute façon, je vais crever, alors laissez-moi crever le plus vite possible!»

Ce sont de vraies colères et, dans ces colères, des gestes irrémédiables peuvent même parfois être posés, car là aussi il existe une force incroyable. Dans toutes ces agonies, nous sommes frappés de voir cette énergie qui nous semble plus qu'humaine. En présence d'une personne totalement épuisée, il est normal de se demander où elle va chercher cette force pour crier, remuer dans son lit et nous mettre à la porte!

On peut être très étonné de l'extrême violence de ces combats, et l'on comprend alors la tentation du soignant de faire une petite injection qui libérerait le malade de sa douleur. Mais si on l'observe bien, cette douleur n'est pas seulement physique ou

161

psychique. Cette impatience et cette colère ne sont pas simplement la manifestation d'une lassitude devant la vie, comme celle du désespoir ou du doute, il s'agit d'une épreuve à traverser. Il faut alors appeler l'ange de la patience. Le rôle de l'accompagnant est cette fois d'aider la personne à entrer dans cette qualité de temps qu'est le temps de la patience. Le travail est effectué non seulement sur l'inconscient personnel, mais aussi sur l'inconscient collectif.

Je pense à ce verset de l'Évangile de Luc qui dit: « C'est par votre patience et votre persévérance que vous gagnerez la vie. »

Chez les malades en fin de vie, nous avons l'impression que leur patience est du temps de gagné... Du temps qui a une profondeur de conscience, une profondeur d'humanité qui les rend véritablement humains. Cependant, cette patience est à gagner sur l'impatience et la colère, jusqu'à ce qu'apparaisse enfin cette douceur du comportement et du visage qui les rend parfois méconnaissables. Après la tempête, il y a un grand calme.

Quand je vois quelqu'un habité par cette tempête et cette colère intérieures, j'aime lui lire l'Évangile de « la tempête apaisée » (si bien sûr il s'agit d'une personne qui accepte ce langage-là). Dans l'Évangile, il nous est dit que les apôtres paniquent parce que la barque, soulevée par les flots, est près d'être submergée ; pendant ce temps, Jésus dort au fond de la barque... Il est étonnant de constater comment sont reçues ces paroles. Elles sont non seulement écoutées par la conscience mais également par l'inconscient. Ces personnes-là comprennent bien que la tempête dont il s'agit dans le texte est la tempête de leurs émotions, de leurs mémoires, qu'elles en sont submergées et crient: «Pourquoi dors-tu?», car, effectivement, quelqu'un dort en elles... Il s'agit de réveiller l'endroit tranquille en elles qui dort, qui n'est pas conscient... Réveiller cette autre qualité de temps, de patience d'être, qui est le «Je Suis» qui dort en elles.

L'accompagnant est ainsi le témoin de ce moi en pleine tempête, en pleine panique. Il est aussi le témoin de ce «Je Suis» qui dort, et il peut se joindre au mourant pour aider l'éveil de ce «Je Suis», jusqu'à ce que les flots se calment, que peu à peu la colère s'apaise et que l'impatience se transforme mystérieusement —comme dans une véritable alchimie— en présence de paix.

Après la colère vaincue, la paix rétablie, on peut alors se croire «arrivé». Néanmoins, dans le fait de se croire arrivé après autant de combats et autant d'efforts vient un nouveau démon, un ange fétide que les Anciens appellent le démon de la «vaine gloire», l'ORGUEIL.

Voilà la cinquième tentation, la cinquième épreuve. Nous croyons qu'enfin nous sommes sages, que nous avons vaincu tous nos démons. La vaine gloire, c'est: «Je n'ai plus besoin de personne...»

C'est le démon des stoïciens... Après avoir été un tel lutteur, on pense que l'on n'a plus rien à craindre, on se croit tellement fort qu'à la limite on pense que l'on n'a même pas besoin de Dieu... En fait, on veut offrir à son entourage une mort noble : « Regardez comment je meurs : je meurs en paix... Regardez comment un homme doit mourir... »

Il s'agit d'un démon très particulier, un démon plein de noblesse. C'est une vanité, un narcissisme qui nous poursuivent jusqu'aux derniers instants. C'est pourquoi certaines personnes se priveront de la visite de leurs enfants, afin de ne pas montrer leur faiblesse ou leur « laideur »... Nous sentons bien que nous avons affaire au démon des forts, au démon des lucides. Ces mourants savent dans quel état ils se trouvent, ils voient les progrès de la maladie, sont encore capables de se regarder dans une glace, et ne veulent pas offrir cela à leurs enfants ! Mais, bien qu'il y ait beaucoup de noblesse dans cette attitude, le texte de l'*Ars moriendi* nous dit pourtant qu'elle est un piège, et qu'elle est en quelque sorte générée par un « mauvais ange ».

En face de la vaine gloire se place alors l'ange de l'humilité : accepter d'offrir à son entourage l'exemple d'une mort non sublime, d'une mort vraiment humaine, celle d'un être qui s'accepte mortel, faible, vulnérable, qui ne ricane pas mais sourit doucement... Être capable, dans les moments de lucidité, d'avouer qu'effectivement on meurt mal.

Cette cinquième étape est d'autant plus cruciale qu'elle nous rappelle que certaines personnes qui apparemment vont bien, en fait, donnent le change. On sait que dans le fond elles ont une vulnérabilité qu'on ne leur permet pas d'avouer.

Le bon ange que l'*Ars moriendi* nous propose de placer en face est l'ange de l'humilité. Celui qui pourrait en quelque sorte souffler au mourant que ce n'est pas la peine de faire cet effort-là. Être un homme, c'est être de l'humus, de la terre, être faible et fragile. Nous avons tous le droit de pleurer, que l'on soit mourant ou accompagnant. Même si la détresse du mourant ne nous emporte pas, elle nous touche car nous ne sommes pas insensibles. L'accompagnant lui aussi, dans son humilité, peut se reconnaître vulnérable, fatigué...

L'ange de l'humilité arrive alors et c'est lui qui nous rend capable de cet abandon qui permet d'aller à l'étape suivante. Ultime épreuve où notre poussière, s'acceptant comme poussière, peut enfin retourner à la poussière. Il n'y a plus en elle ni prétention ni enflure. Le vent ne gonfle plus les voiles, il est déjà parti ailleurs, et finalement nous acceptons que notre corps soit comme déserté.

Ainsi, nous faisons un grand cadeau à nos enfants ou à ceux qui nous entourent, celui d'une mort sans inflation. La mort d'un humain qui, parce qu'il sait que le souffle qui a gonflé ses voiles n'est pas le sien, peut larguer les amarres et laisser sa barque au vent : lui-même est devenu le vent...

Nous parvenons enfin à la sixième et dernière étape.

Le doute et la foi, le désespoir et la confiance, l'avarice et la générosité, la colère et la patience, l'orgueil et l'humilité nous conduisent à cet état d'ABANDON, de paix.

Après tous ces dénis, ces refus, ces violences, nous devenons capable de dire oui à ce qui est ; oui à notre être mortel et oui à notre être « pas-seulement-mortel ». Là, nous pouvons murmurer : « Entre Tes mains, je remets mon esprit. Je remets mon souffle dans Ton Souffle. »

Nous comprenons mieux ce que les rabbins veulent exprimer lorsqu'ils disent que Moïse est mort dans un baiser de Dieu. En hébreu, le mot « baiser » veut dire *nashak* « respirer ensemble ». Dire que Moïse est mort dans un baiser de Dieu signifie qu'il a remis son souffle dans un Souffle plus vaste que le sien ; qu'il a expiré dans le grand Souffle de la vie, il est mort comme dans un baiser.

Effectivement, cette sixième étape est presque une transfiguration – en grec, nous avons le mot *metamorphôsis* : changement de forme. Le visage de la personne est comme changé, transformé. Nous sentons que son souffle est soulevé, comme s'il était embrassé, porté. À cet instant, son souffle s'abandonne..., il entre enfin dans le repos.

Ce vrai lâcher-prise, cette véritable humilité et cet abandon, n'est pas la mort d'un sage, ni celle d'un stoïque. Mais plus belle encore que la mort d'un sage ou d'un stoïque, il s'agit de la mort d'un être humain... Il n'y a pas plus divin qu'un être humain.

Qui peut, au moment de la mort comme durant sa vie, faire l'économie de *l'agonia*, de ce combat ?

Combat physique contre la douleur, combat psychique contre l'absurdité et la souffrance, mais aussi combat spirituel, celui de l'homme avec ses «anges»: anges de paix et anges dévastateurs?

Voilà pourquoi il me semble si important que ceux qui accompagnent aient aussi cette formation à une anthropologie qui prend en considération la dimension spirituelle de l'être humain.

*— Retrouve-t-on dans la clinique contemporaine ces différentes étapes décrites dans l'*Ars moriendi, *et comment sont-elles vécues?*

Marie de Hennezel – Dans la clinique contemporaine de l'agonie (c'est-à-dire des derniers moments de la vie), il existe effectivement une référence bien connue de tous, il s'agit des observations d'Elizabeth Kübler-Ross concernant les étapes successives conduisant à cet état d'abandon et d'acceptation.

Mais ce n'est qu'une description psychologique, alors que ce qui me semble intéressant dans l'*Ars moriendi* est que cela soit présenté comme un combat spirituel. Quelque chose n'apparaît peut-être pas assez dans la description psychologique d'Elizabeth Kübler-Ross: le processus du mourir est défini comme un processus dynamique, avec des étapes qui se succèdent, sans que rien ne soit dit sur les raisons qui font que l'on passe de l'une à l'autre. Il manque ce qui apparaît bien dans l'*Ars moriendi*, c'est-à-dire la dimension de combat entre deux forces, entre deux anges. Jean-Yves Leloup a d'ailleurs très bien montré qu'il y a toujours un « contre-poids ». Par exemple, si nous sommes dans le doute, l'ange de la foi reste toujours présent dans les souterrains de l'être en fin de vie, comme dans ceux de l'accompagnant, et triomphe de ce combat pour permettre de passer à l'étape suivante.

Bien qu'Elizabeth Kübler-Ross fasse la description de différentes étapes émotionnelles, l'accent n'est pas suffisamment mis sur le fait que l'être humain aux prises avec ses démons intérieurs – ses émotions – a aussi en lui la capacité de traverser ces phases. En lui existe cette force intérieure qui, dans l'*Ars moriendi*, sera symbolisée par le bon ange. Je pense que ce texte est inspirant pour tous dans le sens où il insiste sur le fait qu'il ne faut surtout pas oublier l'« autre pôle ».

– *Pouvez-vous rappeler les phases de l'agonie décrites par Elizabeth Kübler-Ross ?*

M. d. H. – Il y a d'abord la difficulté à croire ce qui arrive. On se raccroche à l'espoir d'une erreur de diagnostic ou de pronostic, à l'espoir d'un miracle. On ne peut croire que la mort soit si proche. Cette étape du processus est souvent partagée avec les proches. Eux aussi ont du mal à y croire.

Cette *phase de dénégation* ou de déni correspondrait plutôt à l'étape de l'Attachement dans l'*Ars moriendi*. Elle est une ultime tentative de garder le contrôle de la situation. Elle va céder rapidement devant les progrès de l'agonie, pour laisser la place à une phase de *révolte* et de colère. « Pourquoi cela m'arrive-t-il à moi ? » Cette colère s'adresse à Dieu, à l'humanité tout entière, aux médecins, aux soignants et souvent à tout ce qui symbolise la vie qui continue.

Le mérite d'Elizabeth Kübler-Ross est d'avoir imposé sa conviction que cette phase émotionnelle doit absolument pouvoir s'exprimer et être reconnue comme une étape normale du processus du mourir pour pouvoir être dépassée.

L'étape suivante, le *marchandage*, correspond à une acceptation partielle de l'approche de la mort. La personne a compris que sa mort était inévitable, mais elle tente de négocier avec elle, de gagner du temps. « Pas tout de suite, pas avant d'avoir terminé ceci ou cela, pas avant la naissance de mon petit-fils... Pas avant d'être prêt. » Ce laps de temps désiré, cette échéance intime, semble aider la personne à rester vivante jusqu'au bout. On constate souvent qu'une fois l'échéance atteinte la personne s'abandonne sereinement à la mort.

La période de tristesse qui suit est décrite par Elizabeth Kübler-Ross comme un chagrin préparatoire. S'il y a repli sur soi, retrait de la communication, c'est pour mieux se rassembler en soi, pour mieux s'intérioriser, pour mieux « réfléchir », disait une des patientes que j'ai accompagnée. Cette phase se caractérise par une sorte d'épuisement émotionnel, on est las, on lâche prise. C'est pourquoi elle débouche naturellement sur cette sorte d'*acceptation* sans sentiment, qui est plus proche de la résignation.

Nous sommes là en présence d'un processus d'ajustement émotionnel douloureux, d'un travail intérieur qui procède par avancées et par reculs. On y reconnaît certes un combat intérieur entre le moi, qui tente de s'accrocher encore à la vie, et le Soi qui désire se libérer.

Le processus décrit suit une sorte de ligne idéale qui ne correspond pas à la réalité observée. Tout au plus ces «étapes» peuvent-elles nous servir de points de repère. Elles correspondent d'ailleurs à des modes de défense face à l'angoisse, et l'on comprend alors que certains réagissent sur le mode de la colère, tandis que d'autres réagiront par la tristesse, et que d'autres encore resteront toujours dans une forme de déni. D'autres encore nous semblent arrivés à une forme d'acceptation, et puis retombent quelques jours après dans la colère ou dans le désespoir. L'*Ars moriendi* nous rappelle que rien n'est jamais acquis, et que l'ultime combat se livre contre l'orgueil !

Même si ce vocabulaire moral ne nous convient plus guère, il nous faut reconnaître la nécessité de l'humilité face à la mort : nous ne sommes jamais à l'abri d'une remontée de désespoir ou de colère, même quand nous pensons avoir dépassé ces états émotionnels.

Face à la tentation d'offrir aux autres une mort sublime, une mort parfaitement maîtrisée et contrôlée, l'ultime combat intérieur peut être de renoncer, comme Thomas Becket au moment de sa mort dans la cathédrale de Canterbury, à cette dernière tentation : «faire ce qu'il convient pour la mauvaise raison».

Face à ces remontées émotionnelles qui font partie du combat, du travail intérieur du mourant, l'*Ars moriendi* nous rappelle que l'accompagnant doit faire alliance avec le «bon ange» du mourant, avec ses ressources internes, même si elles ne se voient pas.

S'attacher à être dans la confiance quand l'autre est dans le doute, à être dans la patience quand l'autre est dans la colère, dans l'espérance quand il est dans le désespoir, etc. D'une certaine manière, c'est toujours symboliser l'autre pôle, de façon que la personne puisse vivre ce qu'elle a à vivre, et puisse justement se sentir acceptée.

– Comment peut-on savoir, avec justesse, à quelle étape exacte de l'agonie se situe la personne mourante que l'on accompagne et si elle est dans cette fausse acceptation de la mort, qui est la tentation de l'orgueil ; ou bien si elle a véritablement accompli la sixième épreuve, celle de l'abandon ?

M. d. H. – J'ai l'impression que lorsqu'il s'agit d'une véritable acceptation la personne n'en parle pas. Elle est évidente parce qu'elle est discrète. Certaines personnes disent trop qu'elles ont accepté. Cela paraît une élaboration intellectuelle, rationnelle. En ce qui me concerne, quand j'entends cela, je reste sur mes gardes.

Parfois j'essaie, le plus délicatement possible pour ne pas briser quelque chose de cet état dans lequel la personne se trouve, de lui faire comprendre, comme le disait Jean-Yves Leloup, qu'elle a le droit d'avoir encore des moments de révolte, afin qu'elle ne se sente pas enfermée dans cette obligation de « bien mourir ».

Un des cas qui m'impressionna le plus fut celui d'une femme qui arriva dans le service avec une attitude d'acceptation totale. C'était au tout début, et tout le monde se réjouissait de découvrir que cet état décrit par Elizabeth Kübler-Ross existait vraiment. Cette femme avait d'ailleurs accepté de recevoir des journalistes de la télévision pour parler de sa mort prochaine, et cela fut aussi intéressant qu'édifiant : comme tous les autres, je suis tombée dans le panneau.

Quelques jours après, elle est devenue totalement confuse et délirante, et ce délire était plein de remontées d'agressivité, de sentiments de persécution. Nous avons alors compris que dans cette acceptation affichée il y avait une tentative de maîtrise et que tout ce doute, cette colère, ce désespoir avaient été refoulés. Elle ne s'était pas autorisée à les vivre. Ces émotions revenaient sous une forme complètement délirante et cette femme connut un état de douleur psychique et physique jamais ressentie auparavant, au point qu'il fallut lui donner de très puissants sédatifs.

Cet exemple fut une leçon pour nous tous, et nous apprit à nous méfier des pseudo-acceptations. Si nous avions perçu cela plus tôt, nous ne l'aurions peut-être pas encouragée dans cette voie « héroïque », dans laquelle nous l'avions enfermée, et dont elle ne pouvait plus sortir autrement que par le délire. Son chemin, son combat n'étant pas achevés, elle n'avait donc plus d'autres possibilités de reconnaissance que celui-ci.

Je pense que la véritable acceptation arrive in extremis, car même les personnes qui ont senti qu'elles allaient mourir, qui ont accompli tout un chemin d'évolution, qui sont passées par toutes ces étapes, ne sont pas à l'abri de remontées éventuelles.

Le véritable abandon est tout à fait in extremis.

10.

Rites et rituels
sacrés ou profanes

– Avant d'évoquer les différents rites et rituels d'accompagnement qui permettent une approche de la mort plus sereine, il semble important de bien définir certains termes comme rite, rituel, et évidemment le mot « sacré », souvent employé de manière un peu sauvage.

Jean-Yves Leloup – Le mot « sacré » vient du verbe latin *sacere*, littéralement : ce qui est considéré comme sacré est soumis à l'anathème, est exclu. En fait, quelque chose de sacré est quelque chose de tabou, c'est-à-dire que cela est dans le monde, mais « n'est pas de ce monde ».

Il est étonnant de voir que le mot *sacer* qui donnera le mot « sacerdoce », sous-entend quelqu'un qui est à part, qui est mis à part. Derrière le latin, nous retrouvons la même signification dans le mot hébreu *kadesh*.

Déclarer ainsi un lieu comme sacré, c'est le mettre à part. Il est bien dans l'espace-temps, mais, comme il y a en lui l'empreinte d'un autre monde, il est dès lors considéré comme sacré.

Qualifier un rite, une expérience, une manière de toucher ou de regarder quelqu'un de sacré, c'est leur reconnaître une dimension, une profondeur, une intimité qui précisément ne peuvent se saisir. Cette intimité du sacré qui toujours relie celui qui l'expérimente à sa propre intimité demande à être infiniment respectée. On sait combien elle l'est peu, dans notre société.

C'est pourquoi il n'y a pas de terre sainte ou de terre sacrée en soi, mais ce qui rend une terre sacrée c'est notre façon d'y marcher. De même, il n'y a pas de corps sacré en lui-même, mais c'est la qualité de notre relation avec ce corps, ce visage, qui introduira du sacré. De même un lieu sacré est un lieu auquel ma subjectivité se trouve reliée par un lien qui m'échappe, que je ne peux pas saisir, réifier. Toute rencontre humaine qui n'est pas une fusion, ou une appropriation de l'autre, mais où il y a de la place pour la relation – ce qui implique la présence d'un troisième terme – est sacrée. Ce qui nous permet d'être ensemble, de nous parler, de nous comprendre, de nous toucher, de nous consoler, de nous confirmer, n'est ni « toi » ni « moi », ce n'est même pas « nous-deux » seulement, mais plutôt un « nous deux » ouverts ensemble à cette présence qui nous unit.

Que ce soit à travers une parole, un geste, la relation ne s'enferme pas dans une dualité, dans un rapport où il n'y aurait que deux personnes avec leurs subjectivités qui s'affrontent, s'attirent, s'étreignent ; entre les deux il y a le Troisième qui les différencie, et leur permet, dans cette différenciation, un mode d'union plus haut que le « un ».

Nous avons ici toute la symbolique du chiffre trois dans lequel s'inscrit le sacré. Il ne s'agit pas de régresser dans l'« un », cet « un » indifférencié ; il ne s'agit pas non plus de rester dans le deux, dans la dualité, dans le duel ; il s'agit de passer au Trois, qui est l'Unité différenciée, l'alliance.

Marie de Hennezel – Je suis très sensible à ce que Jean-Yves Leloup vient de dire. C'est bien parce que nous sentons tous plus ou moins qu'il y a de l'insaisissable dans l'approche de la mort que cette tâche d'accompagnement est une tâche sacrée. Celui que nous accompagnons fait une expérience que nous n'avons pas faite et dont nous ne pouvons rien dire. Il entre dans des profondeurs qu'aucun des vivants qui l'accompagnent n'a explorées avant lui, et il nous fait témoins de cela. L'approche de la mort est un moment sacré, dans le sens qui vient d'être défini. C'est-à-dire qu'il nous met en contact avec quelque chose de tout à fait à part, de proprement insaisissable, de « numineux », pour employer le terme de Rudolf Otto et de C. G. Jung pour qualifier ce qui est à la fois fascinant et terrifiant. Et le travail intérieur qui s'accomplit dans ce passage qui conduit à la mort est appelé « travail du trépas », sans doute pour signifier que l'agonisant doit précisément faire les « trois pas » du passage, passer du « un » au « trois », de la fusion unitaire à ce que la psychanalyse désigne comme le « symbolique », la place faite au « troisième ».

J.-Y. L. – Maintenant, qu'est-ce qu'un rite ? Le rite est une tentative de maîtriser ce qui échappe à notre compréhension en lui donnant du sens. Louis-Vincent Thomas, dans sa préface au *Sens caché des rites mortuaires*[1], dit que « tout se passe comme si, dès l'origine, l'homme pensait à l'éventualité d'une vie continue après la mort. Le rite funéraire pourrait bien constituer la brèche anthropologique, ce par quoi l'homme accède à l'humain ».

En ce qui concerne le « rituel », il s'agit cette fois d'une organisation de symboles qui peut rendre sensible cette qualité dont nous venons de parler ; qualité à la fois de relation et de présence qui permettra de dire qu'entre nous se trouve quelque chose de sacré, de saint.

L'accès aux rites du sacré, c'est-à-dire aux gestes qui mettent en scène cette possible qualité de relation, n'est pas la propriété des *sacer*, des *sacerdotes*. Devant certaines situations, nous sommes tous appelés à avoir une attitude « autre », à sortir de nos habitudes, du convenu, du social, du conformisme !

En fait, le contraire du sacré, c'est la normose[2], le conformisme. Nous vivons aujourd'hui dans un monde de conformisme : il faut être comme ceci ou comme cela ; cela ne se fait pas, cela se fait, etc. Mais parce que devant la mort nous ne savons plus ce qui « doit » se faire ou non, nous sommes dès lors dans

---

1. Jean-Pierre Bayard, *Le Sens caché des rites mortuaires*, vol. I, Dangles, 1993.
2. Normose : vouloir être comme tout le monde, peur de l'ostracisme, de la différence qui nous permettrait d'être mieux avec nous-même.

une situation véritablement « sacrée ». Nous posons des actes, des gestes – comme prendre quelqu'un dans ses bras – qui selon les habitudes ambiantes pourraient être interprétés et réduits aux catégories de notre monde, alors qu'en fait il y a là quelque chose d'infiniment respectueux et même parfois de sacré.

Au moment de la mort, l'Amour peut parfois nous faire traverser nos peurs. Notre souci n'est plus de plaire ou de déplaire, d'être bien jugé ou mal jugé, mais d'être juste.

M. d. H. – Jean-Yves Leloup vient de nous dire que ce qui définit le sacré, c'est cette conscience d'une transcendance. Un lieu est « sacré » parce qu'il me relie à un au-delà de moi-même, l'autre humain est « sacré » parce que je reconnais que son essence dépasse tout ce que je peux comprendre ou voir.

Il nous dit aussi que le sacré met à part. Il est réservé aux initiés, à ceux qui savent voir ce que les autres ne voient pas. Ces catégories du profane et du sacré avaient sans doute leur sens du temps où les grandes traditions spirituelles, avec leurs théologies, leurs dogmes et leurs institutions, organisaient l'accès au sacré. Mais les choses ont changé. Notre monde humaniste moderne ne rejette pas la transcendance et le sacré, mais refuse les arguments d'autorité et se refuse à les concevoir sur un mode dogmatique. Ils doivent être cherchés au cœur de l'humain : c'est au plus intime de nous-même et au plus intime de l'autre qu'il faut maintenant apprendre à les reconnaître. C'est l'homme en tant que tel qui est sacré! C'est la rencontre inter-humaine, le lien qui unit les hommes, qui est sacré!

On sent bien que dans cette perspective l'espace du sacré change: il s'enracine dans l'homme, appartient à la conscience de chacun.

– Certains gestes et attitudes, dans lesquels une autre qualité est évoquée, peuvent-ils transgresser le conformisme hospitalier et médical, et par conséquent courir le risque d'être mal interprétés?

M. d. H. – Il y aura toujours des personnes qui ne supporteront pas cette qualité de présence – dont on comprend qu'elle est «sacrée» même s'il n'est pas nécessaire de la qualifier ainsi.

Ce sont les personnes qui souffrent de n'avoir jamais été approchées et rencontrées avec cette qualité. Elles n'ont jamais été honorées dans leur être. Elles sont les premières à critiquer, à tenir des propos destructeurs, à interpréter avec malveillance l'attitude de leurs collègues. Elles s'abriteront derrière le consensus conformiste qui veut que les soignants s'en tiennent à leurs compétences techniques et ne s'impliquent pas dans la relation avec les malades.

– Dans le contexte hospitalier, quel est le regard porté sur le sacré?

M. d. H. – S'il existe un consensus matérialiste – c'est le cas dans les hôpitaux lorsqu'on s'adresse au corps malade, au corps objet des soins, et non pas à la personne humaine –, il existe, en face, un consensus humaniste spirituel, comme dans le mouvement des soins palliatifs et de l'accompagnement. Le mot « consensus » signifie d'ailleurs « sentir ensemble ».

Lorsque plusieurs dans une équipe hospitalière partagent ce sentiment que le malade est « sacré », qu'il est un mystère vivant à respecter, à honorer, les soins sont inspirés par cette qualité d'amour qui sait être présente, attentive, sans rien attendre, ni rien vouloir de l'autre, qui sait se réjouir de la simple rencontre humaine, de cette *philia* qui est la joie d'aimer et d'être aimé.

Un des registres dans lesquels il est possible d'honorer et de respecter cette dimension de l'être, c'est tout ce qui implique le contact, la relation tactile avec le corps. Comme nous l'avons déjà dit, nous pouvons toucher un « corps » comme un futur cadavre, ou bien toucher, approcher la « corporalité animée » qui représente, au-delà du visible, l'essence même de l'être. La distinction à faire entre le corps que l'on a et le corps que l'on est – le corps substantiel, objectif, et la corporalité animée –, est une distinction des plus utiles, mais encore faut-il s'autoriser à le vivre, oser approcher l'autre à travers les gestes quotidiens, avec respect et tendresse.

– Vous dites que c'est la manière d'approcher quelqu'un ou de faire quelque chose qui lui confère son caractère « sacré ». Comment cela se vit-il dans le quotidien des soins et de l'accompagnement ?

M. d. H. – À l'approche de la mort, la vie d'un malade est véritablement ponctuée de rites : rites du lever, du coucher, de la toilette, des repas, etc.

Dès lors, si l'on se pose vraiment la question : comment aider cette personne qui a le sentiment d'avoir perdu sa dignité humaine, qui souffre d'un sentiment de morcellement, de détérioration physique et donc se pose mille questions sur la valeur de sa personne, du temps qui lui reste à vivre ; si l'on veut vraiment l'aider à dépasser cette première souffrance évidente pour qu'elle sente qu'au-delà il existe une permanence de son identité, que son essence propre est bien là, il nous faut avant tout reconnaître cette transcendance au cœur de son humanité. Et comment la reconnaître, sinon en le lui exprimant d'une manière très sensorielle et très concrète, c'est-à-dire avec une certaine manière de l'approcher, de la toucher, de lui manifester le respect que l'on a pour elle.

Tous ces rites profanes peuvent donc être transformés en rites sacrés, simplement en fonction de la conscience que l'on mettra dans nos gestes, nos paroles, nos regards qui seront le tissu même de la rencontre. Puis, en dehors de ces rites profanes nécessaires qui ponctuent la vie du malade, nous pouvons aussi introduire des rites d'oblation, comme le suggérait Louis-Vincent Thomas, instants de bien-être, de plaisir, de détente; moments de communion.

Avec de nombreux soignants que je fus amenée à former ces dernières années, nous avons ainsi cherché comment introduire de tels moments, qui soient à la fois des moments de confirmation affective de l'autre (une reconnaissance de sa dimension essentielle) et des moments d'apaisement, de pacification de la personne qui peut souffrir dans son être.

Beaucoup de soignants pratiquent des massages de bien-être ou des massages de détente. Malgré toute leur bonne volonté, ils le font souvent d'une manière trop technique et objectivante. Nous avons cherché ensemble comment toucher non pas le « corps objet » mais le « corps intime », la personne dans son essence. Comment la contacter avec un infini respect, une tendresse qui la rassure et l'apaise. « Je t'accueille comme la personne que tu es, et je suis là pour toi. »

Quand notre main se pose sur tel ou tel endroit du corps, que ce soit dans un massage très doux du visage, d'une épaule, du plexus, des genoux, des pieds ou des mains, elle peut s'approcher de telle manière que c'est presque la main qui parle, et dit: « Je t'accueille, et je suis là. » Quand on touche quelqu'un de cette manière-là, la personne sent qu'elle est rencontrée dans son être tout entier, et, quelle que soit la détérioration physique qui peut être la sienne, elle a immédiatement une perception de son unité.

— Vous êtes en train de nous dire que cette dimension du sacré peut être portée, assumée par chacun d'entre nous. Elle n'est donc pas seulement réservée aux rituels religieux ou aux membres d'un clergé ?

J.-Y. L. – Un sacrement est le signe visible d'une réalité invisible, le signe sensible d'un monde qui n'est pas du même ordre, un geste qu'une parole accompagne. La dimension sacramentelle n'est pas réservée aux seuls prêtres. Certains prêtres catholiques ne sont pas d'accord avec ce que je vais dire, mais la fonction sacerdotale est une fonction ontologique et non pas une fonction institutionnelle. Le baptême, l'onction, le pardon sont des sacrements que tout chrétien peut donner. D'ailleurs, dans le rituel du baptême, on reprend cette parole de saint Grégoire : « Ô chrétien, souviens-toi que par ton baptême, tu es prêtre, prophète et roi. »

Chaque être humain doit donc trouver sa fonction sacerdotale. Nous sommes tous appelés à être « prêtre, prophète et roi ». Être prêtre est la « fonction ontologique » de chacun. Le « pontife » est celui qui fait le pont. Nous pouvons tous devenir des « souverains pontifes », c'est-à-dire que nous avons tous à faire le pont entre les deux rives. Entre la rive spatio-temporelle et cette autre rive, cette conscience autre, cet état de liberté non née, non faite, non imaginée.

À mon avis, tout « thérapeute » (au sens large) a cette fonction sacerdotale, qu'il peut exercer à travers un certain nombre de gestes accompagnés d'une parole. Au moment de la naissance, comme à l'instant de la mort, nous avons tous besoin d'une mère et d'un père, c'est-à-dire d'un geste qui embrasse, qui console, qui conforte, qui enveloppe, et en même temps d'une parole, une parole prophétique qui ouvre le chemin vers cet inconnu. Alors que les deux sont essentiels, ils sont trop souvent dissociés. Il existe des accompagnants très maternants – ils prennent dans les bras, entourent avec chaleur... – mais qui ne disent rien. Dans d'autres cas on appelle monsieur le curé qui, lui, parlera... mais ne vous prendra pas dans ses bras.

Comme parfois dans nos vies, de nouveau, le père et la mère sont dissociés, alors qu'au moment de la mort il est précieux que ces deux qualités soient non seulement présentes mais associées. Si nous avons besoin d'être aimé, d'être embrassé, nous avons tout autant besoin d'une parole. Cependant une parole dite sans amour, sans une main qui sache vraiment vous toucher, ne suffit pas non plus.

Dans la tradition chrétienne, le sacrement est cette alliance des deux : la parole et le geste. Toute personne peut faire sentir à une autre que si son corps physique part en ruine son corps intérieur, lui, se renouvelle de jour en jour.

De même toute personne peut aussi dire une parole de pardon. Il n'est pas nécessaire d'aller demander à un prêtre de vous pardonner... Saint

Jacques le dit bien : « Pardonnez-vous les uns aux autres[1]... » ! Au dernier moment, sans s'imposer quoi que ce soit, chacun a donc le droit de prononcer : « au Nom de Dieu, je te pardonne ; au Nom de la Vie, je te pardonne... » et cela veut dire : « Va en paix. » Dans le contexte chrétien nous sommes tous prêtres, prophètes et rois par notre baptême. Prêtres, c'est-à-dire que nous avons à faire le pont entre le matériel et le spirituel ; prophètes, c'est-à-dire que nous avons à laisser venir une parole qui s'inscrive dans le présent et qui ouvre un avenir, permettant à l'autre de ne pas s'enfermer dans son passé ; rois, dans la mesure où nous avons tous à être maîtres de nos émotions, à offrir un autre règne à nos pensées que celui de notre inconscient ou de notre passé.

En nous vit le règne de l'Esprit... et nous sommes tous appelés à cette royauté-là.

Ce sont peut-être des mots usés et difficiles à employer aujourd'hui, mais il faut rendre aux traditions leur grandeur et leur dignité spirituelles.

---

1. Épître de Jacques, V, 18 : « Confessez donc vos péchés les uns aux autres et priez les uns pour les autres afin que vous soyez guéris. »

11.

La dormition

Rituel traditionnel et clinique contemporaine

– Vous nous dites que la fonction du rite est de donner du sens à ce qu'on ne peut saisir, ni comprendre, à ce qui nous angoisse, donc, la plupart du temps. Les traditions religieuses ont élaboré des rituels qui servent ce but, par exemple le sacrement des malades, autrefois appelé extrême-onction, dans la tradition chrétienne. Quel rapport la clinique contemporaine entretient-elle avec ces rites traditionnels de passage ?

Marie de Hennezel – Elle considère que cela relève du domaine strictement privé, intime, des personnes. Comme nous l'avons évoqué à plusieurs reprises, le système de santé ne se préoccupe pas de l'appartenance religieuse des malades, ni de leur spiritualité. Tout au plus permet-il l'accès de religieux, d'aumôniers, de pasteurs, de rabbins, d'imams au chevet des malades, quand ceux-ci les réclament. Pour ceux qui ne se tournent pas vers une tradition religieuse, mais qui aspirent à une ouverture spirituelle et à une prise en compte du sacré dans leurs derniers instants, il y a donc un grand vide. Car l'espace du sacré, qui autrefois était occupé par ces rituels religieux, se trouve en quelque sorte déserté. C'est tout l'objet de notre réflexion et de notre engagement que de tenter une réappropriation de cet espace par les humains que nous sommes. Afin que le sacré se vive véritablement au cœur de la relation, au cœur de notre humanité. J'ai essayé de montrer comment l'accompagnement des mourants est véritablement un rite sacré, un rite d'oblation. Comment soignants et bénévoles tentent d'introduire cette dimension dans le quotidien des soins. Mais ce n'est pas facile d'occuper cet espace. On hésite à faire appel à des rituels religieux, à des mots, à des gestes (nous avons évoqué la parole de pardon, ou le geste de bénédiction) qui sont souvent comme vidés de leur sens. C'est pourquoi il nous a semblé si important de retrouver le sens des mots, des gestes, de revenir à l'étymologie, au sens premier. Cette pauvreté rituelle m'a souvent frappée, lors d'enterrements ou d'incinérations laïques. Pas un mot n'était dit de la personne, pas une parole témoignant de son chemin de vie, pas un chant, pas une prière.

Jean-Yves Leloup – Louis-Vincent Thomas disait : « L'homme se définit comme l'animal qui pratique des rites funéraires. » Cette définition anthropologique nous rappelle non seulement que l'homme est le seul animal qui sache qu'il va mourir et tente de donner un sens à sa souffrance comme à sa mort, mais c'est aussi une bonne façon de replacer le rite à sa place : le rite est créé pour donner un sens à ce qui nous arrive, un sens à notre propre mort comme à la mort de l'autre. Le rite est le propre de l'humain. Son absence est une absence d'humanité. Ainsi l'expression «mourir comme un chien» prend tout son sens, quand il manque aux derniers instants d'un être humain, comme à ses funérailles, les gestes, les paroles qui tentent de donner un sens.

M. d. H. – Il me semble que face à cette pauvreté rituelle nous pourrions réinventer des rites, des rites pour le deuil, mais aussi des rites pour entrer vivant dans sa mort. Plutôt que de rejeter les anciens rituels religieux, ne devrions-nous pas les revisiter, pour nous en inspirer ?

J.-Y. L. – Dans la tradition orthodoxe, la mort est appelée une «dormition». Cette tradition s'inscrit dans la tradition biblique où il est question des patriarches qui «entrent dans le Repos».

Le mot *Requiem* indique bien cette dimension de l'homme qui, rassasié de jours, entre dans son Repos. Accompagner quelqu'un dans ses derniers instants, c'est l'aider à entrer dans son «Repos».

Le rituel de la dormition[1], pourrait tout à fait inspirer l'approche contemporaine de l'accompagnement. De quoi s'agit-il ?

La dormition va permettre à la personne de s'endormir «dans du Sens», un Sens qui lui permettra d'ouvrir la porte de son corps mortel sur le jardin de l'âme...

Le rôle de l'accompagnateur est d'aider l'autre à ouvrir cette porte, cette fenêtre, sur l'inconnu qui vient à sa rencontre ou vers lequel il se dirige. Dans ce rituel orthodoxe tout à fait traditionnel, que l'on retrouve dès les premiers siècles du christianisme, nous pouvons observer sept étapes. D'un simple point de vue humain, on y trouve une confirmation de notre humanité, animée, habitée ; l'habitant ne fait que quitter sa demeure transitoire, sa «tente». En effet, quand dans le prologue de saint Jean nous entendons : «Le verbe s'est fait chair», l'étude et la traduction du texte grec nous instruit mieux puisqu'il dit : «Il a planté sa tente parmi nous[2]...»

---

1. Le rituel de la dormition tel que l'expose Jean-Yves Leloup est un essai de synthèse des différents rituels connus et pratiqués dans les monastères russes, grecs, égyptiens, roumains, français du monde orthodoxe. On y retrouvera certains aspects du rituel romain appelé «sacrements des malades», autrefois «extrême-onction». Ce rituel appartient à l'Église indivise, en deçà et au-delà des divisions qui ont déchiré le christianisme au IIe millénaire. Ce rituel est disponible à l'Institut pour la rencontre et l'étude des civilisations (fax : 04 94 30 10 32).

2. «*O logos sarx egeneto kai eskenosen en èmin*» ; Cf. Jean-Yves Leloup, *L'Évangile de Jean, traduction et commentaires*, Albin Michel, 1989.

Notre corps est donc une tente dans laquelle une Parole, une Information habite et fait sa demeure. Dès lors, comment accompagner cette personne qui fit sa demeure dans une tente ; cette tente qu'il s'agit désormais de quitter, et de bien quitter, non pas sans nostalgie ou sans souffrance parfois, mais sans remords, sans regrets, pour faire un « pas de plus »...

– Pouvez-vous nous dire quelles sont ces sept étapes, et nous en déployer les principales caractéristiques ?

J.-Y. L. – La première est celle de la Compassion, la deuxième est l'Invocation ou l'Évocation, la troisième (qui est un geste) est celle de l'onction d'huile, la quatrième celle de l'écoute qui, dans sa qualité, permettra à la personne de s'avouer, d'exprimer tous les non-dits de son existence. Puis cet aveu pourra alors rencontrer la cinquième étape qui est celle du pardon. C'est une parole de bénédiction, une parole d'« autorisation » à partir : « Va en paix. » Et, pour franchir en paix cette dernière partie du chemin, nous avons besoin de communion, d'une nourriture pour le passage. La sixième étape sera alors le moment de la communion, et nous terminons par la septième qui est la contemplation.

Si l'on reprend plus en détail chacune de ces étapes. La première attitude est donc la COMPASSION, ou « disposition de l'esprit et du cœur ».

Que ce soit avant d'entrer dans la chambre du malade, ou en présence de celui-ci, l'accompagnant devrait avant tout pouvoir s'accorder le temps d'une certaine ouverture du cœur et de l'intelligence à la présence de l'autre; à la présence de l'autre comme inconnu, puisque avec la mort nous sommes justement en présence de l'inconnu. Dans les derniers instants l'accompagnant n'accompagne pas la personne mourante avec son petit moi, c'est-à-dire avec ses petites émotions et réactions, mais doit le faire avec ce qu'on appelle le Soi : ce qui en nous est plus intelligent que nous, plus aimant que nous, ce qui en nous possède une sorte de connivence avec l'inconnu, ce « quelque chose » de très silencieux. C'est une ouverture du cœur qui rendra la personne capable d'écouter, sans angoisse, les angoisses de l'autre.

Puis, suite à cette préparation intérieure, à cette « qualité » qui se trouve au-delà de nos compétences, peut venir le moment de l'Invocation ou de l'Évocation.

L'INVOCATION est celle d'un Nom. Dans la tradition judéo-chrétienne le Nom est une énergie, une présence. Nous pouvons ainsi appeler sur quelqu'un le Nom de la présence qui, dans sa tradition, lui aura été familière (cela suppose bien sûr une connaissance préalable de la personne accompagnée) et même la visualiser. Dans les pratiques tibétaines on conseillera de visualiser sur la tête de la personne mourante telle ou telle divinité, et dans la tradition chrétienne ce sera la présence du Christ, de la Vierge Marie ou d'un saint ; en fait il s'agit d'invoquer la présence d'un archétype de plénitude et de paix.

Une image est réellement une présence, et évoquer ou invoquer cette présence introduit une certaine qualité d'énergie ; cela se sent même dans la pièce.

De plus, parce que cette qualité d'énergie se substitue à nos petites angoisses, à nos projections, etc., la personne qui va partir en sera comme enveloppée. Quelle que soit la tradition, l'invocation demeure très importante, car nous devenons ce que nous aimons comme nous devenons ce que nous invoquons. Dans un tel moment, évoquer une personne (ou une qualité) nous fait donc devenir cette personne ou cette qualité, et ce pour celle ou celui qui souffre et va mourir.

Là peut s'opérer une « transfusion de sérénité ».

Après la compassion (l'ouverture du cœur) et l'invocation vient le geste de l'ONCTION.

Ce geste appartient à notre dimension maternelle. La personne est touchée avec une huile préalablement consacrée, symbole de l'esprit, de lumière et aussi de souplesse. Une onction d'huile est ce qui rend le corps souple et ouvert à ce Souffle nouveau qui inspirera le mourant dans une autre dimension. Toujours accompagnée d'une parole, cette onction sera effectuée sur chacune des parties du corps qui, déjà au moment du baptême, furent marquées du signe de la croix.

Le signe de la croix traduit l'ouverture d'une personne dans toutes ses dimensions : hauteur, profondeur, largeur, épaisseur. Faire ce signe sur une partie du corps, c'est rouvrir un lieu qui a pu se fermer par la crainte, par la peur ; c'est rouvrir les portes de la perception, du corps, du temple... De nouveau : aider à ouvrir la porte sur le jardin, sur la Présence. Cela passera par le front, les oreilles, le cou, le cœur, le ventre, les genoux, les pieds...

Le but est d'invoquer la présence du Vivant, la présence du Souffle, sur toutes ces parties du corps qui sont les centres vitaux, afin que ce corps soit véritablement considéré non comme un cadavre ou un tombeau, mais comme le temple où réside l'Esprit et la Présence qui l'habite. L'onction est une fonction tout à fait maternelle, passant par le geste, le toucher. Ce geste qui enveloppe, qui respecte et qui aime a normalement pour objectif de détendre la personne, de la détendre physiquement.

Dans cette détente, elle pourra alors se confier.

Nous arrivons ainsi à l'étape appelée l'ÉCOUTE.

Après avoir confirmé le malade dans sa qualité de temple de l'Esprit ; après lui avoir permis de ne pas seulement s'identifier à ses symptômes, il pourra donc enfin me parler. Il peut y avoir, de la part de l'accompagnateur, une invitation à se dire tel qu'il est avant le départ (bien évidemment quand le mourant n'est pas dans le coma) en se mettant dans un climat d'écoute capable de tout entendre. Il est donc très important d'être dans la posture du Soi, car le moi, lui, ne peut pas tout entendre. Le moi est là avec sa religion, avec ses peurs, ses craintes et ses jugements, quand il s'agit maintenant de permettre à l'autre de s'avouer dans ce qu'il est, et d'être prêt à entendre des paroles parfois «inavouables», et cela sans jugement!

Cette étape de l'écoute est capitale, et, s'il est souhaitable qu'elle puisse être suivie d'un silence à vivre ensemble, il est également important qu'elle reçoive une «réponse», une vraie parole, car dans un tel cas le silence ne suffit pas. L'accompagnant peut oser transmettre une parole de bénédiction, de pardon.

— *Que veut dire exactement «bénédiction», et pensez-vous qu'une parole de bénédiction puisse être prononcée facilement ?*

J.-Y. L. – Le mot BÉNÉDICTION, *benedicere*, signifie dire du bien, dire une bonne parole. De même que l'on peut dire du mal (certains diagnostics sont des malédictions, des mauvais-dire), là il s'agit d'un bon-dire, d'un bien-dire. Cette parole est à la fois une parole de pardon, de confirmation affective (pour reprendre un langage moderne), et une parole libératrice que nous avons déjà souvent évoquée: «Si ton cœur te condamne, Dieu est plus grand que ton cœur.»

Dans le langage du bouddhisme ou de l'hindouisme nous dirions: «Bien que ta conscience vienne t'évoquer tes actes passés, ne t'identifie pas à eux... » Dans les pratiques de l'hindouisme comme du bouddhisme on citera des paroles de divinités qui sont là pour affirmer : « Va plus loin, tu n'es pas que la conséquence néfaste de tes actes. Ce n'est pas le moment de faire tes comptes, tu es plus grand que ce que tu sais de toi-même. » On n'enferme pas l'autre dans la conscience qu'il a de lui-même. Voilà ce que j'appelle une parole de bénédiction ou parole de pardon.

Pour que cette parole ne soit pas celle de notre petit moi, mais bien celle du Troisième, nous allons généralement la chercher chez un poète, dans un texte sacré, quelquefois accompagné d'une musique. Dans ces moments, il faut aussi faire appel à notre dimension prophétique qui, comme nous l'avons précisé, n'est pas réservée à des êtres exceptionnels.

Auprès d'un mourant, nous pouvons tous être soudainement inspirés par une parole dont on se demandera même d'où elle vient... Elle ne s'origine pas dans ce que nous avons appris, dans l'éducation qui fut la nôtre, ou même dans ce qu'on a pu lire, mais nous sentons pourtant qu'elle est juste, c'est-à-dire ajustée à la situation.

Interviendra ensuite la sixième étape de ce cheminement, qui est la COMMUNION, ou eucharistie.

Si l'accompagnant est prêtre, ce pourra être l'instant de la célébration eucharistique : partager le pain et le vin. Sans entrer dans les détails, souvenons-nous que dans la tradition chrétienne la communion au pain et au corps du Christ signifie l'« action » du Christ : la « praxis ». Tandis que le vin symbolise le sang et la « contemplation » du Christ.

Dans le rituel de la dormition il arrive souvent que la personne (pour des raisons physiques) ne puisse pas recevoir le pain, mais d'un certain point de vue c'est assez juste, car finalement elle n'est déjà plus dans l'action mais dans la contemplation. On insistera donc davantage sur la consécration du vin. Mettre simplement une goutte de vin sur les lèvres ou sur la langue de la personne alitée, pour l'inviter à la contemplation de l'Origine que le Christ a Lui-même vécue et qu'Il appelle Son Père. L'eucharistie est cette fraction du pain et ce partage du vin communiqué par le Christ et transmis de génération en génération. Ce sacrement utilise les matières nourrissant notre vie quotidienne afin de symboliser l'action et la contemplation du Christ, sa Vie à laquelle il nous est donné de participer.

Maintenant, même si nous ne sommes pas prêtres (validement ordonnés dans une institution ecclésiale), il ne faut pas pour autant se priver de ce rituel de communion. Il pourra alors s'agir d'un simple verre de vin, avec une certaine manière de l'offrir et de trinquer.

Des petites choses très simples, car le plus sacré est souvent le plus simple. L'absolument simple n'a plus de limites, et simple veut bien dire « sans plis ».

Si Dieu est inconnaissable c'est parce qu'Il est infiniment simple, c'est-à-dire qu'il n'y a pas en lui de plis auxquels nous pourrions nous accrocher.

Nous entrons à présent dans la dernière étape du rituel de la dormition, qui est celle de la CONTEMPLATION, contemplation silencieuse. Ensemble, accompagnant et accompagné, celui qui va mourir et celui qui va demeurer (nous ne savons d'ailleurs pas pour lequel l'épreuve sera la plus douloureuse ou la plus facile...), nous sommes en présence du Mystère.

Étymologiquement le mot « mystère » vient du grec *muistês*, qui donnera le mot « muet ». Les termes mystique, mystère et muet sont issus de la même racine. Nous sommes muets ensemble, devant ce qui nous arrive. La porte est ouverte sur le jardin, mais il reste encore à dire « Va... Va... Je reste là, mais je contemple la clarté à travers la fenêtre ; clarté que moi j'imagine encore, quand toi tu la vois déjà. Nous sommes néanmoins dans la même lumière... »

Cetains moments de contemplation sont parfois d'une profondeur inouïe, celui qui accompagne vit alors une expérience réellement mystique. C'est comme si le mourant lui faisait cadeau de ce qu'il y a au-delà du « seuil ». Il est même vrai que nous pouvons avoir du mal à nous en remettre, car c'est comme si nous avions mis un pied dans l'autre monde, qui est la profondeur de ce monde-ci comme l'éternité est la dimension incréée éternelle de notre vie mortelle.

Cette septième étape est capitale. Pour amener une conclusion dans l'espace-temps, il peut y avoir un chant ou une musique. Dans la tradition orthodoxe le chant et la musique ont une grande importance. De plus, nous savons que l'organe de l'ouïe est le sens qui reste encore en éveil quand bien même les autres ne fonctionnent plus.

Il faut toutefois faire la différence entre un chant religieux et un chant sacré. Certains chants religieux ne sont que « psychiques », ils peuvent faire du bien, ils sont gentils, mais... ils ne nous éveillent pas à une autre dimension. La fonction d'un chant sacré est vraiment de nous faire passer sur une nouvelle fréquence, une fréquence plus intime. À ce moment-là, l'accompagnant devient véritablement un passeur.

Ainsi s'achève le rituel de la dormition dans la tradition orthodoxe. Sept étapes qui sont comme sept dons du Saint-Esprit, comme sept façons de respirer auprès de quelqu'un. De respirer avec le cœur, la main, la parole, la communion et le silence. Deux soupirs dans l'immense respiration de l'univers.

Sept dons du Souffle, du *Pneuma*, qui nous sont communiqués comme viatiques ; qui donneront sens à notre mort et feront de cette mort non pas une mort de chien, l'arrêt d'une mécanique qui ne fonctionne plus, mais une mort vraiment humaine.

Le moment de la mort est le plus haut moment de la vie, celui où elle est à sa plus haute intensité. L'essentiel est de « mourir vivant », de ne priver personne de cette occasion de vivre intensément ce passage.

– Peut-on aussi s'inspirer des étapes de la dormition dans le quotidien de l'accompagnement des personnes mourantes, et ce dans le cadre clinique où elles se trouvent ?

M. d. H. – Oui, tout à fait, à partir du moment où l'on admet que le sacré se vit au cœur de l'humain. Ce qui m'intéresse est justement : Comment dans le quotidien du soin ou l'accompagnement pouvons-nous reconnaître cette dimension sacrée de l'être humain ?

À l'écoute de la description de ce rituel orthodoxe, nous nous rendons compte qu'il correspond effectivement à des attitudes propres à l'accompagnement. L'accompagnement est en soi un rite, et l'on y retrouve toutes les composantes du rituel de la dormition.

J'ai notamment retenu l'importance accordée au son, à la vibration. Proposer l'écoute d'une musique sacrée est une chose que tout le monde peut faire ; car une musique sacrée est une musique qui parle au cœur de la personne, et lui permet d'être dans un état de réceptivité, d'ouverture. Quelle que soit la musique choisie, l'important est de trouver une musique qui inspire la personne.

Il est également possible de proposer d'écouter ensemble cette musique. Je me souviens d'avoir écouté le *Requiem* de Gabriel Fauré avec une jeune femme presque entièrement paralysée et ce fut véritablement un moment sacré, un moment de communion, côte à côte, unies dans cette écoute.

Le rituel de la dormition s'ouvre sur l'entrée dans la compassion. Je me souviens d'une confidence que m'avait faite une aide-soignante : « Chaque fois que j'entre dans la chambre d'un malade et que je l'approche, je me dis : "Il pourrait être mon père, ma mère ou mon frère". Cela m'aide à m'ouvrir à la personne, à l'accueillir dans sa souffrance. » Voilà un merveilleux exemple d'un rituel personnel de compassion !

Puis, vient l'invocation. Une façon de nommer et de faire appel à ce Tout Autre, à cette transcendance si présente chaque fois que l'on est confronté à ce qui nous échappe. Beaucoup plus de gens qu'on ne le pense ont recours à l'invocation, même s'ils en parlent peu, à cause d'une certaine pudeur (surtout dans les institutions) à partager avec les autres cette dimension intime, cette dimension du réel présent en toute chose.

Au fil des années, je me suis aperçue qu'un très grand nombre de gens prient et « invoquent ». Cela peut aller de l'invocation du Christ, de la Vierge Marie, d'un ange, d'un saint, d'un guide intérieur, à l'invocation d'un sage. Comme si, spontanément, l'être sentait qu'il devait remettre cette souffrance dans une dimension qui le dépasse. Comme le dit si bien Jean-Yves Leloup, on ne peut pas être là, seul avec ses petits moyens personnels. Il y a comme un appel à la vie, au Vivant, au Souffle.

Nous retrouvons cela dans toutes les traditions, comme également chez des gens qui, bien que n'ayant pas de références traditionnelles ou religieuses, ont toutefois cette notion d'un guide intérieur ou d'un ange gardien. Il est intéressant de voir que certaines personnes peuvent ne pas avoir de religion ou de croyance religieuse, et pourtant possèdent cette prescience d'une protection invisible. L'image de l'ange est beaucoup plus répandue qu'on ne l'imagine, mais ce peut être aussi simplement l'évocation d'une personne de sa famille qui est déjà morte : une grand-mère, un père, une mère, etc.

D'autre part, le sens de l'onction, dans ce rituel de la dormition, est de sanctifier le corps, de lui rappeler sa vocation de temple, temple de l'esprit. Nous pouvons vivre le sens de cette onction dans le quotidien des soins. Chaque fois que nous faisons une toilette ou un soin, chaque fois qu'une douleur ou une tension réclame une main présente, apaisante, la délicatesse, le respect, la tendresse avec lesquels nous agissons valent bien l'huile consacrée d'un rituel religieux. Et parfois même nous souhaiterions que les gestes rituels du sacrement des malades possèdent cette qualité de contact que l'on voit chez certaines aides soignantes lorsqu'elles massent tel ou tel lieu d'un corps douloureux ! Encore une fois, il s'agit de la conscience avec laquelle nous touchons le corps de l'autre, c'est bien là que réside la dimension sacrée.

Une infirmière de nuit me disait que lorsqu'elle venait dire bonsoir aux malades elle mettait un morceau de musique sacrée et leur faisait un massage du visage en mettant dans ses mains tout le respect, tout l'amour dont elle était capable. Cela durait cinq minutes... et puis, avant de quitter ses malades, elle posait un geste de bénédiction sur leur front, comme le faisaient certaines de nos grands-mères. Elle disait qu'alors les malades s'endormaient plus paisiblement, sans tranquillisants. Cette infirmière pratiquait un rituel personnel d'endormissement, comme tous ces petits rites profanes que pratiquent les mères de famille au moment du coucher de leurs enfants. Néanmoins, à cause de la conscience qu'elle mettait dans ses gestes, ce rite prenait une dimension sacrée.

Quant à l'écoute, elle est véritablement une attitude de base de l'accompagnement. Nous aurions d'ailleurs tort de penser qu'il y a «un temps pour l'écoute»... C'est plus exactement une attitude de disponibilité, qui se traduit souvent par le fait de seulement s'asseoir là, sans attente particulière, sans «faire» quoi que ce soit, mais dans un être-là ouvert qui signifie à l'autre qu'il y a de l'espace et du temps pour ce qu'il pourrait avoir envie de nous confier.

Et si quelqu'un est amené à nous parler et à nous confier quelque chose de lourd, la parole de pardon peut également être prononcée: «Si ton cœur te condamne, Dieu est plus grand que ton cœur.»

Venons-en maintenant à l'étape de la communion. Dans le sacrement des malades, elle vient couronner le rite. Elle représente le moment où le chrétien s'unit à ce qui incarne pour lui la transcendance, le Christ, le moment où l'âme reçoit sa nourriture et sa force.

Ce sont incontestablement des moments très forts dans l'accompagnement. Mais que se passe-t-il pour tous les malades qui ne se rattachent pas à la tradition chrétienne ou qui s'en sont éloignés ? La dimension de la communion, du partage autour d'une foi, ne serait-elle qu'humaniste, leur est-elle interdite ?

Je partage la pensée de Jean-Yves Leloup lorsqu'il ouvre le sens de la communion à tout partage fait dans un esprit d'amour, et dans une conscience du lien qui unit chacun et le relie à une dimension qui le dépasse. Je me souviens de certains échanges de regards, au moment de partager une coupe de champagne ou même une cigarette, qui faisaient de ce qui est si souvent vécu comme un moment de consommation un moment de communion, un moment sacré.

Lorsque toute une équipe se réunit autour du lit d'un mourant et partage avec lui une bonne bouteille, lorsque à cette occasion celui qui sent sa mort proche exprime une parole venue du cœur, une parole de reconnaissance, une bénédiction, il y a dans cet hommage rendu aux qualités profondément humaines des soignants, aux valeurs qui portent leur action, une véritable communion dans ce qui transcende l'humain. Ces moments aussi ont un caractère sacré.

– La dernière étape de la dormition est la contemplation. Pensez-vous que dans un cadre hospitalier il soit possible de s'en inspirer, et comment ?

M. d. H. – La tradition chrétienne comme la tradition bouddhiste mettent l'accent sur le climat de silence et de paix qui devrait idéalement accompagner les derniers instants de la vie.

L'hôpital n'offre pas souvent les conditions favorisant cette atmosphère de «contemplation». On sait l'activisme, l'agitation, le bruit qui y règnent. Il faut une véritable volonté des équipes pour que ce climat de paix puisse s'instaurer. Certaines y parviennent, notamment dans les structures de soins palliatifs. Les soins et les traitements sont limités au strict nécessaire. Le besoin de silence dans la chambre est respecté. On y entre doucement, on respecte le repos des malades et le chagrin des familles. Parfois, si le désir en a été exprimé par le mourant, on peut contribuer concrètement à créer une atmosphère, mettre un disque de musique sacrée, ou bien allumer une bougie.

Il n'est pas rare que soignants et bénévoles viennent s'asseoir un moment en silence, offrir un peu de présence, vivre un moment de contemplation. Ce sont des moments de paix partagée, dont on sort généralement ressourcé. Mais cela, il faut l'avoir vécu pour le comprendre !

Conclusion

Nous sommes partis d'un constat : notre monde dénie la mort et se prive ainsi d'une réflexion et d'une méditation sur la question du sens et du sacré. Certains moments de la vie, notamment les crises, les deuils, nous confrontent pourtant à ces questions essentielles. L'approche de la mort, en particulier, réveille chez chacun d'entre nous ce que nous qualifions de « souffrance spirituelle », souffrance devant l'absence de sens, ou tout simplement devant l'impossibilité de partager avec d'autres ses interrogations intimes. Cet espace du sacré, du sens, de la relation de l'homme à ce qui le dépasse, qu'organisaient autrefois les traditions religieuses, apparaît aujourd'hui pour beaucoup comme un espace à découvrir, à réhabiter. Mais comment le faire ? Comment donner du sens à l'acte de mourir, quand les mots, les gestes, les rites sur lesquels on s'appuyait autrefois sont comme vidés de leur sens ? Face à la mort et aux questions qu'elle ne manque pas de soulever chez ceux qui l'approchent, ne sommes-nous pas le plus souvent démunis et profondément angoissés ?

En partant de notre expérience du quotidien de l'accompagnement de ceux qui vont mourir, témoins de ce vide spirituel, témoins de la souffrance qu'il engendre chez le mourant comme dans son entourage, nous avons tenté d'interroger la sagesse de ces traditions. Il ne s'agit pas d'inciter à un retour en arrière, mais d'inviter le lecteur à puiser en elles, pour s'en inspirer, et faire ce « pas de plus » que nous n'avons cessé d'évoquer. Nous pensons, en effet, qu'on ne revient pas en arrière. L'homme est fait pour aller de l'avant et explorer des voies nouvelles.

Il n'en demeure pas moins que les réponses élaborées par les traditions émanent d'intuitions profondes qui continuent à faire leur chemin dans l'homme. C'est pourquoi nous avons voulu rappeler la pensée et les croyances de ceux qui nous ont précédés. Non pour nous couler dans leur moule, mais pour trouver ce qu'il y a de vivant en elles. Pour inciter à inventer, à créer du nouveau. C'est à cette création de sens, à cette créativité spirituelle, dans le quotidien du soin, que nous avons souhaité inviter les lecteurs, et plus précisément ceux que la vie ou la profession mettent en contact avec la souffrance et la mort. Sortir de la sclérose répétitive des réponses toutes faites et des rites vidés de leurs contenu. Mais oser puiser dans la richesse et la profondeur de notre nature humaine pour devenir pleinement humain et redonner à notre humanité sa véritable dimension.

Le défi des temps qui viennent est peut-être justement de créer, au sein d'un monde laïc et qui entend le rester, un humanisme ouvert, où la transcendance et le sacré trouvent leur place, au cœur de la personne, au cœur de l'humain.

Bibliographie

Bardo Thodol, présenté par Laura Anagarika Govinda, Albin Michel, 1981.

Ars moriendi, (1492) adaptation de Pierre Gérard Augry, Dervy Livres, 1986.

Elizabeth Kübler-Ross, *Les Derniers Instants de la vie*, Labor et Fides, 1996.

Raymond Moody, *La Vie après la vie*, éd. Robert Laffont, 1977.

Maurice Zundel : *À l'écoute du silence*, Téqui, 1979.

Frans Veldman, *L'Haptonomie*, science de l'affectivité, PUF, 1995.

Table

Faites de nouvelles découvertes sur
www.pocket.fr

- Des 1ers chapitres à télécharger
- Les dernières parutions
- Toute l'actualité des auteurs
- Des jeux-concours

POCKET

Il y a toujours
un **Pocket** à découvrir

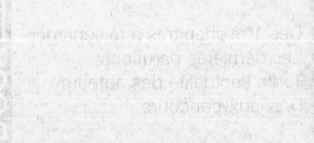

Imprimé en France par

à Saint-Amand-Montrond (Cher)
en avril 2012

POCKET – 12, avenue d'Italie – 75627 Paris Cedex 13

N° d'impression : 121129
Dépôt légal : janvier 2000
Suite du premier tirage : avril 2012
S08609/09